Dossiers et Documents

Une retraite épanouie

Trucs et conseils pour s'y préparer

Projet dirigé par Marie-Noëlle Gagnon, éditrice

Conception graphique : Pascal Goyette
Mise en pages : Julie Larocque
Révision linguistique : Eve Patenaude et Chantale Landry
Illustrations : Eva Rollin

Québec Amérique
329, rue de la Commune Ouest, 3ᵉ étage
Montréal (Québec) Canada H2Y 2E1
Téléphone : 514 499-3000, télécopieur : 514 499-3010

Nous reconnaissons l'aide financière du gouvernement du Canada par
l'entremise du Fonds du livre du Canada pour nos activités d'édition.

Nous remercions le Conseil des arts du Canada de son soutien.
L'an dernier, le Conseil a investi 157 millions de dollars pour mettre
de l'art dans la vie des Canadiennes et des Canadiens de tout le pays.

Nous tenons également à remercier la SODEC pour son appui financier.
Gouvernement du Québec – Programme de crédit d'impôt pour
l'édition de livres – Gestion SODEC.

Nous reconnaissons l'aide financière du gouvernement du Canada par
l'entremise du Programme national de traduction pour l'édition du livre
pour nos activités de traduction.

Conseil des Arts   Canada Council
du Canada   for the Arts

SODEC
Québec

Catalogage avant publication de Bibliothèque et Archives nationales du
Québec et Bibliothèque et Archives Canada

Lamontagne, Yves
Une retraite épanouie
(Dossiers et documents)
ISBN 978-2-7644-1233-6 (Version imprimée)
ISBN 978-2-7644-2672-2 (PDF)
ISBN 978-2-7644-2673-9 (ePub)
1. Retraite. 2. Retraite - Planification. I. Titre. II. Collection : Dossiers et
documents (Éditions Québec Amérique).
HQ1062.L35 2014   646.7'9   C2013-942230-7

Dépôt légal : 1ᵉʳ trimestre 2014
Bibliothèque nationale du Québec
Bibliothèque nationale du Canada

Dr Yves Lamontagne

Une retraite épanouie

Trucs et conseils pour s'y préparer

Québec Amérique

Remerciements

Sincères remerciements à Jean-Claude Hétu, conseiller et planificateur financier (Financière des professionnels) et à Serge Joly, CPA, CMA et directeur des services administratifs (Collège des médecins du Québec), pour leurs conseils, à Miori Lacerte-Lamontagne pour son aide et à Marie-Noëlle Gagnon pour ses commentaires éditoriaux.

Table des matières

Avant-propos

J'ai pris ma retraite le 22 octobre 2010, à l'âge de 68 ans. J'estimais que j'avais fait le tour du jardin et qu'il était temps de passer le flambeau à un collaborateur plus jeune. Par contre, j'étais très anxieux face à l'avenir et j'avais peur de me retrouver isolé des gens, sans objectif et sans notoriété. Il en a été tout autrement, heureusement, car j'avais annoncé ma décision un an plus tôt, ce qui m'a permis d'être sollicité pour de nouveaux projets avant même mon départ. J'ai ainsi pu passer à autre chose dès le début de ma retraite. J'ai alors compris l'importance de s'y préparer d'avance.

Pendant toute ma vie professionnelle, j'ai changé d'emploi presque à tous les dix ans : chercheur-clinicien (1968-1978), directeur d'un centre de recherche (1978-1992), président de l'Association des médecins psychiatres du Québec (1988-1998) et PDG du Collège des médecins du Québec (1998-2010). Comme le dit la chanson, « C'est toujours triste de quitter ceux qu'on aime ». À chaque fois que j'ai changé d'emploi, c'est comme si je quittais ma famille pour un voyage vers une autre destination.

Reste que, soit par hasard, soit par un bon sens du *timing*, j'ai chaque fois tiré ma révérence au bon moment. J'ai toujours cru qu'il fallait quitter sur un *high*, c'est-à-dire quand tout va bien, plutôt que sur un *low*, lorsque ça va mal ou que son *leadership* commence à être contesté. En effet, avec les années, même si plusieurs le cachent, la ferveur diminue. Il est alors temps de se fixer de nouveaux objectifs et de changer de terrain de jeu. En quittant le Collège des médecins en 2010, je laissais une équipe extraordinaire, un organisme en excellente santé financière, mieux apprécié par la population et les autres ordres professionnels, et une structure administrative efficace. Par contre, contrairement à mes changements d'emploi, j'avais cette fois l'impression de sortir du système, de faire une croix sur mon *leadership*, et la perspective de ne pas retrouver une nouvelle équipe et de perdre ma secrétaire de direction, une perle sur laquelle je pouvais toujours compter, m'effrayait.

Finalement, les choses se sont bien arrangées. Depuis mon départ du Collège, j'ai, entre autres, la chance de travailler comme consultant pour divers organismes, de donner des conférences et d'écrire des livres. Je suis maintenant en parfait contrôle de mon agenda, je n'accepte que les mandats qui m'intéressent et, surtout, je me garde du bon temps pour faire du sport, voyager et m'occuper de ma famille et de mes amis.

Reste que j'ai constaté que plusieurs collègues, amis et connaissances se sont mal préparés physiquement, psychologiquement et financièrement à cette étape de leur vie. Au lieu d'un nouveau départ, ces gens vivent malheureusement une période de déclin qu'ils sont incapables de surmonter. Quel que soit votre âge, il est donc impératif d'organiser cette étape afin d'en profiter au maximum, au lieu de vous affaisser dans le dernier droit de la vie.

Le célèbre acteur Fred Astaire a déjà dit : « La vieillesse, c'est comme le reste. Pour la réussir, il faut commencer jeune. » Dans cet ouvrage, je présente donc ma vision de la retraite, basée sur mon expérience personnelle et sur divers écrits, en espérant que vous pourrez vous aussi arriver à une retraite productive et heureuse.

Bonne lecture !

Chapitre 1

La retraite : un mot à bannir, un concept dépassé

Ce n'est pas la fin. Ce n'est même pas le commencement de la fin, mais c'est peut-être la fin du commencement.

Winston Churchill

J'ai toujours désapprouvé le vieux rituel qui consiste à donner une montre à la personne qui quitte son emploi pour sa retraite. On lui donne une montre et pourtant on arrête son temps en la mettant au rancart… Je préfère de beaucoup l'attitude du président d'une jeune PME américaine qui offre, à l'arrivée de tout nouvel employé, une montre Mickey Mouse avec le message suivant : « Voici une montre, car le temps, c'est de l'argent, et une montre Mickey parce qu'ici nous travaillons tout en nous amusant. » Voilà une bien meilleure idée.

Par ailleurs, je déteste le mot « retraite », qui a plusieurs connotations péjoratives :

- En ancien français, « retraite » veut dire « retirer » ;

- En termes militaires, « battre en retraite » signifie reculer, se sauver, s'avouer vaincu ;

- En termes religieux, « faire une retraite » veut dire s'isoler pour penser à ses vieux péchés ;

- En anglais, *to retire* se définit par *to remove from view, to withdraw from society*, bref cela signifie « s'éliminer », tout simplement.

De nombreuses définitions, expressions et citations viennent également appuyer mon dégoût pour ce mot.

- « Personne qui a quitté la vie active. » Est-ce à dire qu'elle est entrée dans la vie passive ?

- « La retraite, c'est l'âge d'or. » Où sont les millionnaires ?

- « La retraite, c'est l'oisiveté imposée. » Donc, les retraités sont tous des paresseux…

- « La retraite, c'est l'étape de la vie où la personne âgée est mise à la retraite, en retrait, hors circuit, hors de la vie active. » (Roger Dadoun dans *Manifeste pour une vieillesse ardente.*)

- « La retraite est un peu un baiser de la mort, un désastre en devenir sur le plan fiscal. La notion de tout arrêter et de cesser littéralement d'exister à 60 ou à 70 ans n'a aucun sens. » (Keith Davies dans *Avoid Retirement and Stay Alive.*)

- « La retraite est le commencement de la mort », disait le violoncelliste espagnol Pablo Casals. Il jouait encore avec l'orchestre symphonique à 95 ans et est mort deux ans plus tard.

- Ernest Hemingway, le célèbre romancier américain, racontait que le mot « retraite » était le plus laid du dictionnaire.

- Enfin, de façon humoristique, dans leur bande dessinée *Le guide de la retraite,* Goupil et Tybo rapportent qu'il ne faut pas confondre « prendre sa retraite » et « se pendre en traître », pas plus qu'il ne faut confondre la retraite avec la re-traite, qui consiste à traire une vache une seconde fois, d'autant que tout le monde n'a pas de vache !

Pas jojo, la retraite, si l'on se fie à ces définitions et à ces commentaires !

Il faut dire que l'emploi du mot « retraite » dans le sens que nous lui connaissons a été popularisé dans les années 1880 par le chancelier allemand Otto von Bismarck pour calmer la ferveur révolutionnaire des jeunes Allemands qui voulaient des emplois. Étant lui-même militaire, il a dû emprunter le mot à ce vocabulaire. Plus près de nous, aux États-Unis, le président Theodore Roosevelt a créé, en 1935, le régime de pension de vieillesse à 65 ans alors que l'espérance de vie était de 62 ans. Bonne façon de gagner des votes, de faire économiser de l'argent à l'État et d'associer la retraite à la vieillesse !...

Le concept de la retraite a donc été inventé pour régler un problème de surplus de main-d'œuvre et pour attirer l'électorat. De ces constats, posons deux questions :

1. Pourquoi faudrait-il se retirer de notre vie active au lieu de la modifier ?

2. Pourquoi faudrait-il cesser nos activités au lieu de les diminuer ou d'en développer de nouvelles ?

Dans une entrevue pour la revue *Le bel âge*, un homme raconte qu'il a décidé d'aller travailler comme préposé à l'accueil chez Walmart : « Mon fonds de pension me permet complètement de subvenir à mes besoins. Mais au bout de 18 mois de retraite, j'ai trouvé très difficile de regarder tourner de loin la grande roue de la vie. Actuellement, je rencontre des gens et j'ai une vie sociale bien remplie.

À moins de tomber malade, je n'envisage pas de reprendre ma retraite. »

Cet homme n'est pas le seul à agir ainsi. Plus de 100 000 personnes de 65 ans et plus occupent un emploi au Québec, généralement à temps partiel. De plus, 25 % des retraités qui n'ont pas d'emploi désirent retourner sur le marché du travail.

Karine Genest, directrice des programmes de la Fédération de l'Âge d'Or du Québec (Réseau FADOQ), rapporte qu'après la période d'euphorie des deux premières années de leur retraite, de nombreux aînés déchantent. Leur retour à l'emploi est très fréquent après ce moment charnière et pas nécessairement dans le même domaine. Les principaux motifs invoqués sont de rester actif mentalement (71 %), de demeurer en contact avec les gens (63 %) et d'améliorer sa situation financière (61 %). Selon Mme Genest, les gens vont aussi vers des travaux reliés à leur passion, que ce soit la couture, le bricolage ou l'horticulture. Les retraités ayant œuvré dans le domaine financier se convertissent quant à eux généralement en représentants de produits financiers, tandis que ceux qui ont travaillé dans le secteur de l'éducation font de la suppléance, corrigent ou surveillent des examens, ou élaborent des plateformes pédagogiques en tant que consultants.

Que doit-on conclure de ces données ? On se rend compte que le travail structure le quotidien et les habitudes, sert à l'intégration sociale en faisant partager et nouer des liens avec autrui, aide au développement d'autres compétences

et apporte un sentiment d'accomplissement et de réalisation de soi.

Dans mon livre *La mi-carrière : problèmes et solutions*, paru en 1995, je démontrais qu'on peut faire six carrières différentes au cours d'une vie. Pourquoi alors ne commencerions-nous pas une nouvelle carrière ou un nouveau métier à la retraite au lieu de nous bercer sur le balcon en ressassant le passé, en envisageant l'avenir avec anxiété, en dramatisant au moindre petit bobo et en entrevoyant la fin du chemin, la mort tant qu'à y être ? Bel avenir en perspective !

Voilà toutes les raisons pour lesquelles je déteste le mot « retraite », qu'il faut bannir de notre vocabulaire pour le remplacer par des termes beaucoup plus positifs comme « changement de carrière », « rentier », comme on disait autrefois, « phase de transition », « en sabbatique », et même « un second début », comme la crème de beauté rajeunissante !

Ça m'irrite encore quand les gens me demandent si je suis à la retraite. Certains me disent : « Vous êtes à la retraite. Vous jouez au golf et allez en Floride », comme si je n'avais que cela à faire. D'autres me demandent : « Que fais-tu maintenant ? » Cela sous-entend bien souvent que je n'accomplis probablement rien. C'est mon fils avocat qui m'a suggéré de répondre : « Je ne suis pas à la retraite. Je suis le président de Gestion Yves Lamontagne Inc. » J'ai adopté cette réplique qui me procure un grand soulagement. Il n'y a rien de honteux à être à la retraite, mais il faut sans aucun doute éliminer la connotation péjorative de ce terme.

Agissez comme moi : répondez la vérité et parlez de vos nouvelles occupations, des activités que vous faites ou aimeriez faire et, si vous êtes plutôt tranquille, dites-le avec franchise. La retraite, telle qu'on l'entend généralement, est un concept dépassé ; ce n'est pas une fin en soi, mais le début d'une nouvelle vie qui peut être enrichissante et gratifiante.

Chapitre 2

Portrait de la situation actuelle

Je voulais prendre ma retraite, mais il semble que mes seins aient encore une carrière. Alors, je continue.

Pamela Anderson

Quelle est la situation actuelle au Québec et au Canada ? L'espérance de vie augmente graduellement, la fécondité est sous le seuil de remplacement des générations et le vieillissement des *baby-boomers* crée un nouveau portrait social des retraités. Quelles répercussions ces changements auront-ils sur la migration des gens vers la campagne, sur le système de santé et sur le milieu du travail ? Voyons ces aspects plus en détail.

DÉMOGRAPHIE

Tout d'abord, parlons un peu de démographie. Après les États-Unis, le Canada a fixé l'âge de la pension à 70 ans, dans les années 1920, alors que l'espérance de vie était de 61 ans. Comme ailleurs, pratiquement personne ne vivait assez longtemps pour percevoir sa pension. Au début des années 2000, les pensions sont devenues admissibles à 65 ans alors que l'espérance de vie était presque de 79 ans. Le Canadien moyen pouvait alors s'attendre à retirer une pension pendant au moins 14 ans. La durée de vie s'est accrue de 28 ans durant le siècle dernier et elle grandira encore avec les années grâce aux découvertes médicales qui augmentent la longévité. Il y aura donc plus de pression sur les programmes de pension publics et privés.

Comme le démontre le tableau suivant, au Canada, la longévité augmente graduellement avec les années autant chez les femmes que chez les hommes.

ESPÉRANCE DE VIE		
Année	Hommes	Femmes
1930	60 ans	62 ans
1996	75,7 ans	81,5 ans
2008	78,2 ans	83,4 ans
2016	81 ans	86 ans

Un homme de 60 ans a actuellement 25 % de chances de vivre au-delà de 95 ans. Au premier juillet 2009, on a dénombré près de 1,3 million de personnes de 80 ans et plus au Canada. Elles représentaient 3,8 % de la population canadienne. Parmi celles-ci, 6 000 personnes avaient 100 ans et plus. Selon les récentes projections démographiques, l'effectif des centenaires au pays atteindrait environ 15 000 personnes au début des années 2030. De 1981 à 2005, le nombre d'aînés est passé de 2,4 à 4,2 millions et il devrait passer à 8 millions en 2026, ce qui représentera 21,2 % de la population.

Le vieillissement de la population canadienne s'explique principalement par deux facteurs : la fécondité sous le seuil de remplacement des générations et l'espérance de vie à la hausse. Or, l'âge moyen de la retraite se situe entre 59 et 62 ans ; il y aura donc une population inactive de plus en plus grande et de plus en plus coûteuse en soins de santé et en mobilisation de personnel social. Actuellement, 45 % de la force de travail au Canada s'apprête à partir à la retraite, comparativement à 29 % en 1991. Il est clair que le contexte économique et démographique va influencer la retraite. En 2030, le Québec ne comptera que deux personnes en âge de travailler pour une personne de 65 ans et plus, alors que le ratio actuel est de cinq pour une. Ainsi, la population de 80 ans et plus pourrait quadrupler entre 2006 et 2046 selon le dernier bulletin de l'Institut de la statistique du Québec. De plus, le nombre de personnes âgées de 65 ans et plus doublera entre 2006 et 2030, alors qu'elle sera de 22 % au Canada. Cette population aura aussi des besoins diversifiés, car 20 % des aînés sont des immigrants ou des enfants d'immigrants et 6 % appartiennent à une minorité visible. Si rien ne change, nous nous dirigeons vers une pénurie de main-d'œuvre, une perte du savoir-faire et une augmentation notable des coûts sociaux pour l'ensemble de la population.

Heureusement, un Canadien sur cinq (22 %) retourne sur le marché du travail après avoir pris sa retraite. Vingt-huit pour cent des retraités actuels continuent de travailler et 74 % des salariés de 45 ans prévoient les imiter. Ces chiffres sont encourageants et devraient augmenter dans les années à venir à cause des possibilités accrues d'emploi et des difficultés financières que vivront de très nombreux retraités.

VIEILLISSEMENT ET VIEILLESSE

À la suite de ces observations, on peut facilement constater que la retraite n'égale plus la vieillesse et qu'il se dessine un nouveau portrait social des retraités. D'ailleurs, il ne faut pas confondre «vieillissement» et «vieillesse». En effet, le vieillissement humain est un processus continu qui commence dès le jour de notre naissance. À partir de l'âge de 35 ans, on perd 1 % de l'activité de nos cellules à chaque année. Déjà, à cet âge, certains commencent à porter des lunettes, se sentent plus fatigués le lendemain d'une soirée et ont une diminution de leur capacité de travail. Sont-ils vieux pour autant? Bien sûr que non! Quant à la vieillesse, elle est la dernière étape du vieillissement. Il ne faut pas non plus confondre le vieillissement biologique et le vieillissement humain. L'âge biologique est une chose, le vieillissement humain en est une autre. Je connais des vieux de 30 ans et des jeunes de 70 ans. Je connais des jeunes qui se plaignent tout le temps au moindre effort, qui n'ont pas d'initiative et de dynamisme; ce sont des «jeunes vieux». Je connais aussi des «vieux jeunes» qui ont de l'humour, qui ne s'apitoient pas sur leurs petits bobos et qui sont toujours prêts à faire la fête. C'est donc d'abord et avant tout dans la tête qu'on est jeune ou vieux, peu importe l'âge. Comme on peut le constater encore, la retraite n'est donc pas d'emblée reliée à la vieillesse, à la sénilité et à l'immobilisme.

Par contre, individuellement, les aînés font face à de nombreux défis. L'obésité est en hausse chez tous les Canadiens et les aînés n'y échappent pas. De plus, le cancer et les maladies cardiovasculaires demeurent les principales causes de décès des personnes âgées, alors que l'arthrite, le rhumatisme et l'hypertension artérielle sont les maladies chroniques les plus répandues dans cette classe de la population, sans oublier l'Alzheimer et le Parkinson.

LES *BABY-BOOMERS* ET LA RETRAITE

Au Québec, il y a 2,5 millions de *baby-boomers* nés entre 1946 et 1966. Parmi ceux-ci, les plus vieux ont atteint 65 ans en 2011 et ils représentent près de 100 000 personnes au Québec ; au Canada, ils représentent près de 350 000 personnes. Dans l'ensemble du pays, la totalité des *baby-boomers* compte pour 10 millions d'habitants, soit le tiers de la population. À Montréal seulement, 15 % de la population est composée de gens de 65 ans et plus ; ce sera 25 % en 2025.

Dans l'ensemble, les *baby-boomers* sont plus riches, en meilleure santé et plus éduqués que les 65 ans et plus des générations précédentes. Ils ont aussi été témoins de nombreux événements significatifs tant au niveau culturel que politique. Citons-en quelques-uns :

- 1946 – mise en marché du bikini ;
- 1956 – arrivée du rock'n'roll avec Elvis Presley ;
- 1963 – assassinat du président Kennedy ;
- 1967 – Exposition universelle à Montréal ;
- 1969 – premiers pas sur la Lune ;
- 1976 – élection du Parti québécois et Jeux olympiques d'été à Montréal ;
- 1981 – lancement du premier ordinateur personnel par IBM ;
- 1989 – chute du mur de Berlin ;

- 1995 – échec du deuxième référendum sur la souveraineté du Québec;
- 2001 – attaque terroriste du 11 septembre à New York;
- 2006 – publication du projet sur le génome humain.

Au 21ᵉ siècle, les aînés sont plus exigeants et instruits que leurs prédécesseurs. Ils connaissent davantage les produits et les prestations dont ils ont besoin et sont moins prêts à tolérer la pauvreté des services. Ils sont aussi plus riches que les jeunes et sont d'accord pour payer afin d'avoir ce qu'ils veulent, quand ils le veulent.

Par contre, les *baby-boomers* ne sont pas des vampires énergivores comme certains le prétendent. En effet, ayant plus de temps et de revenus que les autres groupes, 20% de leurs ménages font des dons de plus de 10% de leurs revenus annuels, 70% aident parents et amis et 50% font du bénévolat. En 1996, ils ont dépensé 69 milliards en tant que consommateurs avisés.

Devant ces faits, assisterons-nous à la création de mouvements plus militants du «pouvoir gris» en réponse à l'impossibilité des gouvernements d'acquiescer à leurs demandes? Par exemple, de très nombreux *baby-boomers* déménagent à la campagne ou dans de plus petites villes proches d'un hôpital bien organisé. Les hôpitaux, qui sont vus comme un fardeau financier, devraient plutôt être un outil de développement économique important pour ces villes, sans oublier tout l'aspect des soins à domicile, qui deviendront de plus en plus populaires.

Notre système de santé ne s'adapte pas assez rapidement aux besoins changeants de la population. Comment les soins de santé seront-ils distribués ? Comment le travail sera-t-il organisé ? Quelle sera la nouvelle approche en santé face à la retraite ? L'État investit où ça rapporte – dans l'enfance et la jeunesse – et il se désintéresse des personnes âgées ; pour s'en convaincre, il s'agit de voir le peu de ressources allouées aux gens âgés dépendants. Cet écart ira-t-il en s'agrandissant ? Même si 86 % des *baby-boomers* s'estiment en bonne santé, il est primordial de développer de meilleurs services médicaux en gériatrie et plus de soins à domicile. Il en va de même pour le bénévolat, si important dans l'accompagnement et le soutien des personnes âgées, où l'on voit poindre une diminution de la main-d'œuvre soit parce que les jeunes sont moins nombreux ou moins intéressés, soit parce que les besoins augmentent trop rapidement.

Dans ce contexte, les futurs retraités ne pourront pas se désengager de leurs responsabilités reliées au travail en cette période de profonds bouleversements autant démographiques qu'économiques. L'arrivée massive de nouveaux retraités aura un impact majeur sur les finances publiques, les régimes de retraite, les soins de santé et les programmes de sécurité sociale. Voilà pourquoi les gens devront travailler plus longtemps et que plusieurs retraités auront à retourner au travail après une courte période d'arrêt, principalement pour des raisons financières. Sinon, les plus jeunes s'engageront dans une guerre des générations et relégueront leurs aînés aux oubliettes.

Chapitre 3

Les retraités d'hier, d'aujourd'hui et de demain

Pourquoi se stresser avec la vie ?
De toute façon, on n'en sortira pas vivant.

Émile Froment

Au 19ᵉ siècle, la notion de retraite était inconnue. L'espérance de vie des Québécois était d'environ 40 ans et on travaillait jusqu'à la fin de ses jours. Les gens n'avaient pas de revenus suffisants pour épargner. Les ouvriers devenus inaptes au travail manuel étaient pris en charge par leur famille.

Ce n'est qu'au siècle suivant, à la fin de la Seconde Guerre mondiale, que la hausse des salaires autorise l'épargne individuelle. En 1957, pour encourager les travailleurs à économiser pour leur retraite, le gouvernement canadien instaure le régime enregistré d'épargne-retraite. Les régimes de pension du Canada et des rentes du Québec entrent quant à eux en vigueur en 1966 pour obliger tous les travailleurs et leurs employeurs à contribuer à un programme public de retraite.

En dépit de ces avantages, les gens ont encore de la difficulté à épargner. En juin 1977, le gouvernement du Québec porte le salaire minimum à 3,15 $, le plus élevé au Canada. En avril 1988, les Canadiens sont encore endettés, consacrant 28 % de leurs revenus à leurs créances, un niveau record. Encore de nos jours, c'est le remboursement de dettes occasionnées par l'achat de biens qui tient le haut du pavé.

Dans le temps de mon grand-père, qui avait 65 ans en 1950, les retraités se rencontraient souvent dans les salons mortuaires et à l'église, ce qui a fait dire au célèbre joueur de baseball Yogi Berra : « Si vous n'allez pas aux funérailles de vos amis, n'attendez pas qu'ils assistent aux vôtres. »

De façon plus sérieuse, à cette époque, dans les villes, les aînés se contentaient bien souvent de flâner, de fréquenter les tavernes et, pour les plus fortunés, de participer à divers clubs sociaux voués à l'aide d'organismes de charité : Chevaliers de Colomb, Kiwanis, Optimistes, etc. Enfin, les anciens combattants des deux guerres mondiales se réunissaient dans les nombreux clubs de la Légion royale canadienne où les jeux et l'alcool devenaient les passe-temps favoris.

Mon grand-père, plus sage et plus religieux, avait organisé ce qu'il appelait « la rencontre du rosaire » à la cathédrale de Trois-Rivières. En collaboration avec l'évêque, qui avait annoncé la nouvelle en chaire le dimanche, il s'agissait d'une rencontre, cinq jours par semaine, à quinze heures, où les fidèles étaient invités à venir réciter un rosaire (trois chapelets) avec mon grand-père. Cette formule lui permettait de marcher tous les jours pour se rendre à l'église, beau temps, mauvais temps, d'obtenir des indulgences par ses prières, d'inciter des gens à venir à l'église et de discuter avec d'autres retraités à la fin de la cérémonie, sur le parvis de l'église. Pendant dix ans, il n'a jamais manqué un seul rendez-vous. Comme beaucoup d'autres, il recevait alors sa pension de vieillesse du gouvernement qui suffisait à le faire vivre modestement avec ma grand-mère. Rappelons qu'entre 1949 et 1955, le salaire annuel moyen variait entre 2 500 $ et 4 000 $.

Aussi, à cette époque, la solitude des aînés était probablement moins problématique, car ceux-ci vivaient souvent avec leurs enfants et leurs petits-enfants, et aidaient à de nombreuses activités selon leur forme physique.

Bien d'autres choses ont changé avec le temps. Les retraités sont en meilleure santé que ceux des générations précédentes et vivent plus longtemps. Raymond Devos disait : « Depuis ma retraite, je m'entraîne à tous les jours. Quand je vais mourir, j'irai à pied au cimetière. » En effet, 50 % des aînés pratiquent une activité physique de 15 minutes au moins 12 fois par mois comme la marche, le jardinage, les exercices à domicile, la natation et la danse. Les deux tiers n'ont besoin d'aucune aide dans les activités de la vie quotidienne.

Une enquête rapporte qu'actuellement, plus des deux tiers des Canadiens disent qu'ils retardent le moment où ils prendront leur retraite parce qu'ils n'ont pas mis suffisamment d'argent de côté. Près des trois quarts des sujets interrogés ont affirmé qu'ils avaient épargné à ce jour moins du quart de leur objectif de retraite. D'un autre côté, des études de Statistique Canada démontrent que les Canadiens âgés de plus de cinquante ans, en bonne santé, avec un haut revenu et une scolarité élevée, sont moins susceptibles de voir leur santé se détériorer que ceux dont la condition physique est similaire, mais qui ont un revenu ou un niveau de scolarité plus faibles. Comme le disait Yvon Deschamps : « Il vaut mieux être riche et en santé que pauvre et malade » !

Les retraités d'aujourd'hui mettent fin à leur carrière de différentes façons (retraite progressive, retraite définitive, retour au travail après quelque temps, etc.) et pour diverses raisons (fermeture d'usine, maladie, changement d'horizon, etc.). Bon nombre de gens continuent aussi de travailler au moment où d'autres prennent leur retraite. Enfin, nombreux sont ceux qui quittent définitivement le monde du travail. Ceux-ci déclarent avoir une plus mauvaise santé et sont moins actifs physiquement que leurs homologues qui continuent de travailler, même en tenant compte des différences d'âge. Ainsi, près d'une personne sur quatre (24 %) ayant pris une retraite définitive considère son état de santé comme mauvais ou assez bon, contre 11 % des semi-retraités et 5 % des retraités de retour dans le milieu du travail. Il importe par contre de faire remarquer que le mauvais état de santé n'est pas nécessairement une conséquence de l'arrêt de travail, car il est plutôt la cause d'un grand nombre de départs à la retraite.

De façon générale, les retraités d'aujourd'hui ne s'en tirent pas si mal, principalement parce qu'une bonne majorité d'entre eux reçoivent une pension de leur employeur et ont accès au Régime des rentes du Québec et à la pension de vieillesse du Canada, dépendant de leurs revenus. Enfin, certains ont aussi contribué à un régime enregistré d'épargne retraite (REER) qui leur procure des revenus additionnels. Mais la situation risque de changer dans un avenir prochain.

Les *baby-boomers* constitueront bientôt le plus important groupe de retraités et il y aura peu de jeunes, à cause de la baisse de la natalité, qui pourront payer des services aux aînés avec leurs impôts. Si vous croyez encore à *Liberté 55,* vous rêvez en couleurs. Pour la grande majorité, ce sera plutôt *Liberté 67,* à cause du report de la prestation de la Sécurité de la vieillesse, du retard à épargner, des faibles rendements sur les investissements et de l'effritement des régimes de retraite à prestations déterminées. Finis les terrains de golf, les plages du Sud et les voiliers des annonces publicitaires des années 1990 annonçant la retraite à 55 ans...

À l'avenir, les travailleurs qui gagnent moins de 25 000 $ par année pourront recevoir l'équivalent de 70 % de leur revenu d'emploi (17 500 $) grâce aux programmes gouvernementaux. Il en sera tout autrement pour la classe moyenne et supérieure. Pour un salarié qui gagne 60 000 $, l'ensemble des pensions du Québec et du Canada ne remplacera que 33 % des revenus d'emploi à 65 ans, soit 20 000 $ à la retraite si la personne n'a pas d'autres ressources. De plus, dans le passé, des employés pouvaient compter sur le régime complémentaire de retraite de leur employeur ; malheureusement, ces régimes sont en voie de disparition, les entreprises les jugeant trop lourds à porter. Dans le secteur privé, 76 % des travailleurs n'ont aucun régime de retraite et seulement 31 % des contribuables admissibles cotisent à un REER pour une contribution annuelle médiane très basse de 2 800 $. Enfin, selon certains analystes financiers, la caisse de la Régie des rentes du Québec devrait être à sec vers 2030. Pour sauver la situation, même si une légère augmentation des contributions et une légère réduction des prestations seraient nécessaires, les politiciens ne bougent pas, car ce n'est pas avec ce genre de réforme qu'on gagne ses élections.

Enfin, la jeune génération est moins économe, probablement à cause de la facilité d'obtenir du crédit, mais aussi en raison des nouvelles responsabilités qui vont souvent de paire avec cette période de la vie, comme l'arrivée d'un enfant ou l'achat d'une maison.

Comme on vient de le constater, il y a de grandes différences entre les retraités d'hier, d'aujourd'hui et de demain. L'avenir des futurs retraités s'annonce difficile si rien n'est fait au niveau gouvernemental et social. Voilà sûrement une bonne raison de se prendre individuellement en main et prévoir sérieusement les avenues à emprunter pour une retraite agréable.

Chapitre 4

La santé physique

Dans le monde actuel, nous investissons cinq fois plus d'argent en médicaments pour la virilité masculine et en silicone pour les seins des femmes que pour la guérison de la maladie d'Alzheimer. Dans quelques années, nous aurons des femmes avec des gros seins et des vieux à la verge dure, mais aucun d'entre eux ne se rappellera à quoi ça sert.

Attribué au Dr Drauzio Varella, oncologue brésilien

La retraite n'est pas qu'une question d'argent ; c'est davantage une question de bonheur. C'est le moment de penser à être heureux, de développer des goûts et des désirs qu'on n'a jamais eu le temps de concrétiser auparavant. La fatigue plus importante, certains problèmes de santé, l'insécurité financière, la perte du réseau social et du statut lié à l'emploi sont, par contre, tous des facteurs qui peuvent avoir des effets nuisibles sur l'équilibre personnel, mais n'oublions pas que les *baby-boomers* sont en meilleure santé que leurs prédécesseurs parce qu'ils mènent une vie plus active, ont une meilleure alimentation et font plus d'exercice.

De façon étonnante, une enquête de Statistique Canada faite en 2009 révèle que 76 % des Canadiens de 45 à 64 ans et 56 % des personnes de plus de 65 ans s'estiment en bonne santé et ce, malgré certains problèmes de santé chroniques. Il est évident que plus on avance en âge, plus nos dépenses reliées à la santé augmentent. Ainsi, par rapport aux 45 à 64 ans, elles sont trois fois plus élevées chez les Québécois entre 65 et 74 ans, cinq fois plus entre 75 et 84 ans et huit fois plus chez les 85 ans et plus.

Devant ces constatations, il est clair que la demande pour des services à domicile et des soins de longue durée va bondir. Les aînés actuels peuvent encore souvent compter sur leurs enfants s'ils sont en perte d'autonomie, mais les *baby-boomers* ont moins d'enfants; ils devront alors payer pour ces services, de même que pour les médicaments dont la consommation explosera.

Plus notre corps vieillit, plus nous sommes en harmonie avec lui et plus nous tenons compte de nos capacités. Il faut savoir s'adapter et constater qu'une foule d'activités et de sports sont encore à notre portée. Il suffit seulement d'écouter... nos articulations!

Par ailleurs, des chercheurs ont démontré que l'optimisme est l'un des secrets les plus importants d'une vie heureuse; ils sont pratiquement unanimes pour affirmer qu'une bonne perception de soi est essentielle pour bien vieillir. Si on est optimiste, la vie sera meilleure et plus ensoleillée, même si nous ne sommes pas en parfaite condition physique. D'ailleurs, une recherche a démontré que l'amertume chronique peut causer des dérèglements biologiques et accentuer la vulnérabilité aux maladies.

« Même si vous avez une santé de fer, ça ne vous empêchera pas de rouiller », disait Jacques Prévert. Depuis plusieurs années maintenant, et grâce à des organismes comme ParticipACTION, les gens sont plus conscients de l'importance de l'activité physique pour se maintenir en forme et éviter certaines maladies; la multiplication des clubs sportifs prouve cette nouvelle popularité. Avec une centaine de redressements assis quotidiens, vous pouvez raffermir vos muscles abdominaux et améliorer votre maintien ainsi que votre endurance globale, soutient le psychologue sportif américain James Loehr.

Toutefois, les francophones seraient deux fois moins portés à faire de l'exercice que les anglophones, affirme Richard Blais, le président de Nautilus, et ceux qui persévèrent sont surtout des professionnels célibataires de 20 à 49 ans. Serions-nous de nouveau différents des anglophones et croirions-nous encore qu'il est trop tard pour nous mettre en forme après 50 ans? Il n'est pas utopique de tenter de modifier les quatre variables importantes pour notre santé, soit l'alimentation, la condition physique, le sommeil et la sexualité.

L'ALIMENTATION

Plus que jamais, nous entendons parler de la promotion de la santé et, pourtant, nous continuons d'avoir une consommation élevée en matières grasses et une alimentation riche en graisses animales, en cholestérol et en sucre. Nous devons apprendre à manger plus de poisson, de légumes et de fruits frais. Nous devons aussi limiter notre consommation de sucre, de sel et d'alcool. Bref, dans tout, « la modération a bien meilleur goût ». Il ne s'agit pas de se mettre à jeûner, ni de renoncer à jamais à ce qu'on aime, mais d'apprendre à savourer tous les plaisirs en plus petites quantités et de s'ouvrir à des expériences nouvelles plus saines. « Déjeuner en roi, dîner en prince et souper en pauvre » pourrait être un bon dicton.

En Amérique du Nord, la malbouffe entraîne une augmentation des maladies cardiovasculaires, à cause du gras, et du diabète secondaire à l'embonpoint. De plus, il faut se rendre compte qu'avec l'âge, la digestion se fait au ralenti ; en réalité, tous nos organes fonctionnent plus lentement. À 20 ans, on peut bien s'empiffrer de hamburgers, de frites et de quelques bières à minuit et dormir sur ses deux oreilles par la suite, alors qu'à 40 ans, le même repas peut causer des brûlements d'estomac, des éructations, une mauvaise qualité de sommeil sinon une nuit blanche. Si on commence jeune à surveiller son alimentation, il sera d'autant plus facile d'ajuster le tir le moment venu et de couper certains aliments en faveur de notre santé.

Pour les gens qui doivent beaucoup voyager ou fréquenter assidûment les restaurants, une consultation avec une diététiste pourrait être avantageuse. Finalement, des livres comme *La santé par le plaisir de bien manger* sont très utiles.

L'EXERCICE PHYSIQUE

Je dis toujours à mes amis que le matin où ils se lèveront et n'éprouveront aucune douleur, c'est parce qu'ils seront morts. Il faut donc huiler la machine régulièrement à partir d'un certain âge. Il ne s'agit pas de revenir à la vie de nos ancêtres ou de s'entraîner en vue des Olympiques, mais, avec un peu d'imagination, on peut découvrir comment faire de l'exercice n'importe où et n'importe quand. Prendre l'escalier au lieu de l'ascenseur, marcher d'un pas rapide ou faire des exercices d'étirement lors d'une pause-café sont autant d'activités utiles à notre santé et ne nécessitant aucun vêtement ni article de sport dispendieux. L'abonnement à un club sportif peut en pousser d'autres à s'imposer des exercices réguliers deux ou trois fois par semaine.

Faire de l'exercice est bon non seulement pour se tenir en forme, mais aussi pour combattre le stress. La marche et la natation sont particulièrement utiles à cet égard. Aussi, il ne faut jamais se lancer dans des travaux de construction sans préparation physique. Combien d'accidents stupides sont survenus chez des gens qui se sont adonnés à des travaux lourds alors qu'ils étaient dans une forme physique précaire?...

L'exercice aide à faire perdre du poids, à diminuer l'anxiété, les maladies cardiovasculaires, l'hypertension artérielle et le diabète. Enfin, faire un exercice rigoureux de 8 à 12 heures avant l'heure du coucher favorise la sécrétion de la prostaglandine aidant au sommeil. Le Dr Roy Shephard, un gériatre américain, a écrit que les retraités qui font régulièrement de l'exercice de façon modérée peuvent s'attendre à ne pas avoir recours au système de santé pendant 10 à 20 ans de plus que ceux qui n'en font pas.

D'autres recherches démontrent que plus vous êtes actif physiquement et mentalement tout le long de votre vie, moins vous développerez la maladie d'Alzheimer. Personnellement, j'ai 72 ans et je marche, je joue au tennis et j'utilise ma moto tout l'été, ce qui me permet de garder mon équilibre et mes réflexes. Dans la catégorie des 80 ans et plus, Reine Lebel prend des cours de danse et fait du yoga ; Jenny Chopra enseigne la danse à claquettes ; Dennis Takayesu s'entraîne trois à cinq fois par semaine et suit une diète riche en fruits et légumes. D'autres exemples extraordinaires : le maître yogi Tao Porchon-Lynch, 93 ans, enseigne le yoga et participe à des compétitions de danse sociale ; Yvonne Dowlen, 87 ans, enseigne le patinage et s'entraîne quelques heures cinq fois par semaine ; Charley French, 87 ans, travaille toujours et est champion de triathlon ; enfin, Olga Kotelko, 94 ans, détient 23 records d'athlétisme dont 17 dans la catégorie des maîtres de 90 à 94 ans. Qui dit mieux ? Plus près de nous, pensons à Jacques Languirand, Jean Coutu, Claude Castonguay, Janine Sutto, Béatrice Picard, Denise Filiatrault et Lise Payette, pour n'en nommer que quelques-uns, tous âgés de plus de 80 ans et encore très actifs.

LE SOMMEIL

Le sommeil est un autre élément important pour notre santé, autant physique que mentale. En effet, nous passons le tiers de notre vie à dormir et nous dormons moins longtemps à mesure que nous vieillissons. Un nouveau-né dort de 14 à 17 heures par jour, alors que la moyenne est de 8 heures à 15 ans et de 7 heures à 60 ans avec quatre à cinq périodes d'éveil par nuit. Imaginez ce qui vous reste de temps de sommeil si vous faites une sieste de deux heures l'après-midi ! Si vous vous endormez après le repas du midi, une sieste de 20 à 30 minutes sans plus est acceptable. Mettez votre réveil et levez-vous quand il sonne.

Quand je demandais à mes patients à quelle heure ils allaient au lit, la grande majorité me répondait : « Après les nouvelles à la télé. » Quelle obligation a-t-on de se coucher après les nouvelles ? C'est simple : on se couche quand on s'endort.

Des gens tout à fait normaux dorment trois à quatre heures par nuit sans ressentir aucune fatigue. La prétention qu'il faille absolument dormir huit heures est sans fondement, d'après les conclusions d'un congrès international sur le sommeil. Le besoin de sommeil fluctue d'un individu à l'autre et la période la mieux appropriée au sommeil varie aussi.

Il nous arrive tous de vivre des périodes d'insomnie. En fait, il existe trois types d'insomnies : celle associée à une mauvaise hygiène du sommeil, comme des horaires irréguliers de travail, par exemple ; celle en relation avec des troubles personnels, comme l'absence de sommeil provoquée par la maladie d'un enfant ou associée à des conditions médicales, comme des douleurs ou des maladies mentales ; enfin, celle liée à l'ingestion d'alcool ou de médicaments, comme les amphétamines. Il est important de noter que même si l'alcool aide à s'endormir, il entraîne toutefois une mauvaise qualité du sommeil, causant plusieurs éveils au cours de la nuit. Compte tenu de ce qui vient d'être dit, les somnifères ne sont pas davantage une réponse définitive au problème de l'insomnie. Ils ne devraient donc pas être prescrits pour plus de deux à trois semaines.

En effet, la majorité des cas d'insomnie peuvent être guéris sans médicament par une meilleure hygiène du sommeil, la relaxation et un programme d'entraînement au sommeil.

Voici quelques règles utiles pour avoir une bonne qualité de sommeil. Premièrement, tentez de vous discipliner en vous levant toujours à la même heure raisonnable, mais en vous accordant le droit d'étirer vos heures de sommeil une à deux fois par semaine, au cours de la fin de semaine, par exemple. Il ne faut pas prendre de café, de thé, de coca-cola ou d'alcool, ni faire d'exercices violents avant de se mettre au lit. Deuxièmement, il faut se coucher quand on s'endort et ne pas rester au lit quand on est éveillé. Quelques-uns de mes meilleurs articles ont été écrits au cours de nuits d'insomnie. J'étais fatigué le lendemain, mais, le soir venu, je me suis couché plus tôt, j'ai dormi comme un enfant et j'ai très bien récupéré. Troisièmement, relaxez-vous avant d'aller vous coucher et non pas quand vous allez au lit. Prenez un bain chaud, lisez un peu ou écoutez de la musique douce. Quatrièmement, dormez à l'air frais, sans bruit et sur un matelas ferme. Enfin, ne vous faites pas de souci concernant votre nombre d'heures de sommeil et ne paniquez pas si vous avez une nuit d'insomnie. L'organisme humain est si bien conçu qu'il vous amènera à récupérer dès le lendemain.

LA SEXUALITÉ

En dernier lieu, quelques mots sur la sexualité à cette étape de la vie. Avec l'âge, chez l'homme, on assiste à un ralentissement de la réponse sexuelle: l'érection est plus lente, l'éjaculation prend plus de temps et ne survient pas toujours. Chez la femme, les changements de la ménopause sont reliés à la reproduction et l'âge affecte peu la sexualité. La perte de l'intérêt sexuel serait plus émotionnelle qu'hormonale. Il n'y a donc aucune limite tracée par la vieillesse à la sexualité. Plusieurs recherches

démontrent que des gens en bonne santé sont capables d'avoir des relations sexuelles satisfaisantes durant toute leur vie. La poursuite de la vie sexuelle est saine, même lorsqu'on vieillit, autant pour les hommes que pour les femmes.

En conclusion, voici cinq conseils utiles :

1. Soyez en action : bougez, activez-vous ;

2. Mettez-vous en forme : faites de l'exercice. Choisissez un sport que vous aimez et que vous êtes encore capable de pratiquer ;

3. Relevez un défi physique à chaque année ;

4. Ne vous gavez pas de médicaments et de produits naturels pour rien ;

5. Enfin, souriez. Vous aurez l'air dix ans plus jeune, physiquement et mentalement. Une plaque en bois posée au-dessus de la porte d'entrée de ma maison de campagne offre aux visiteurs l'inscription suivante : *Live, love, laugh.* « Vivre, aimer et rire », voilà qui exprime bien ma philosophie de vie. Appliquez vous aussi cette maxime et soyez heureux tant que vous serez vivant, car vous serez mort longtemps !

Chapitre 5

La santé psychologique

L'expérience de la retraite est loin d'être la même pour tous. Les ressources financières, intellectuelles, culturelles et affectives, les épreuves du passé (maladies, accidents, deuils), la personnalité, les valeurs, la capacité d'adaptation et les conditions dans lesquelles le départ a lieu ont une influence sur la façon dont chacun vit cette nouvelle étape de sa vie. De toute façon, ne considérez pas la retraite comme quelque chose de fixe et d'immuable. Vous pourriez être surpris par la tournure des événements : difficultés financières, perspectives d'emploi, expérience inédite à saisir ou besoin de combler du temps. Vous retournerez peut-être sur le marché du travail ou sur les bancs d'école, par nécessité ou par plaisir. Chose certaine, préparez-vous dès maintenant à ce que votre vie ne se termine pas à 65 ans.

À mon avis, surtout pour les hommes, les retraités peuvent être divisés en six catégories distinctes :

1. **Le retraité obligatoire :** Il s'agit ici du travailleur qui a été mis au rancart à cause d'une maladie, parce qu'il n'avait plus la dextérité requise, la vitesse pour travailler à la chaîne, ou à cause d'une fermeture d'usine. La déception, le rejet, la sensation d'être un bon à rien caractérisent cette catégorie. Son estime de soi en a pris un coup, ce qui en fait un candidat à la dépression.

2. **Le retraité renfermé :** Celui-ci a toujours été centré sur sa profession ou son métier et il n'a pas de réseau social, sauf le petit noyau familial. À la retraite, il se laisse aller, perd ses amis et sombre dans la platitude. Sans projet, la vie est derrière lui. J'ai revu un de mes anciens professeurs de médecine, une sommité dont toute la vie avait été centrée sur son travail. Il me racontait que, depuis sa retraite, il ne foutait plus rien, regrettait le bon temps et avait l'impression d'avoir été tassé par ses collègues plus jeunes. J'étais triste pour lui, même s'il était responsable de sa situation. Il était maintenant trop tard pour changer.

3. **Le retraité insatisfait :** L'insatisfait porte un jugement sur tout, est pleurnichard et n'est jamais content. Au travail comme à la retraite, il a toujours eu le même comportement. À l'hôpital où je travaillais, un préposé aux malades m'a déjà déclaré qu'il lui restait 281 jours, à ce moment-là, avant de prendre sa retraite. Il pestait contre l'administration, le syndicat, les médecins, les infirmières et ses collègues, bref contre tout le monde. J'ai eu l'occasion de le rencontrer dans un magasin deux ans plus tard. Cette fois, il pestait contre le gouvernement, son chèque de pension, son épouse, sa solitude et j'en passe. Plus ça change, plus c'est pareil. Insatisfait dans son *job*, insatisfait dans sa retraite, insatisfait chronique. Au début de sa retraite, il voyait l'avenir comme une délivrance, mais il s'est replié dans la même insatisfaction qu'il avait manifestée toute sa vie.

4. **Le retraité écrasé :** L'écrasé attend sa conjointe qui travaille encore, demande des comptes, n'accomplit aucun travail dans la maison et n'a aucune vie sociale. Il s'écrase devant la télévision à la journée longue, sans rien faire d'autre. Une amie me racontait que son père, pourtant un professionnel

actif au cours de sa carrière, avait complètement décroché dès la première semaine de sa retraite. Depuis maintenant un an, il passait ses journées entières devant la télévision et à lire le journal du matin. Ni son épouse ni ses enfants n'avaient réussi à le motiver à faire aucune activité. Il ne semblait pas malheureux; il avait tout simplement quitté la parade.

5. **Le retraité conforme:** Le retraité conforme se limite à la consommation; c'est déjà mieux que ceux des autres catégories. Loisirs, culture, bien-être, tels sont ses objectifs. Voilà pourquoi il n'est pas étonnant de retrouver sur le marché une kyrielle de magasins adaptés à ces besoins et destinés aux aînés. Pour la majorité, la retraite englobe la maison, les voyages, les petits-enfants et, pour certains, le bénévolat. Il y a peu de place pour la créativité, mais au moins, le retraité conforme peut s'accorder une belle vie si ses moyens financiers le lui permettent. Certaines de ces personnes anticipent l'avenir avec sérénité, d'autres sont plus anxieuses. Ainsi, un ami nouvellement retraité me racontait vouloir changer sa voiture pour un modèle moins dispendieux, peu gourmand sur l'essence, «mon dernier char», me disait-il. J'avais l'impression d'entendre: «Je m'en vais tranquillement, je me cherche un petit corbillard.» Quand on pense à la longévité, son dernier char risque de lui durer longtemps... Il faudra donc qu'il limite son kilométrage pour ne pas trop l'user. On doit arrêter le cycle *vivre, travailler, se retirer, mourir*. Je n'ai rien contre les petites voitures économiques et je ne suggère pas d'acheter un Hummer, là n'est pas la question. Mais de grâce, ne vous laissez pas prendre par le «syndrome de la dernière voiture». Vivez, que diable, selon vos moyens, mais si vous le pouvez, continuez à vous faire plaisir.

6. **Le retraité heureux**: Être ouvert aux autres, optimiste, créatif, passionné, épanoui, voilà la clé du bonheur. Le retraité heureux, c'est celui qui prend du bon temps pour lui, sans chef ni horaire fixe, et qui est déchargé de ses anciennes responsabilités. S'il décide de travailler à temps partiel, par exemple, il choisira un emploi qui lui plaît, qui lui permet d'avoir un horaire flexible, et il s'assurera d'avoir de bonnes relations avec son patron. Si ces conditions ne sont pas remplies, il n'hésitera pas à changer de travail, car il est conscient que maintenant, c'est lui qui mène. Il est son propre patron et profite de l'instant présent. Il se découvre de nouveaux talents et fait ce qu'il aime, rencontre ses amis et ses parents et se baigne dans la nature. Pour lui, se reposer est une halte, mais ce n'est pas la vraie vie.

Nos ressources intérieures sont inépuisables, servons-nous-en! Ainsi, le retraité heureux oublie son âge et les peurs qui l'accompagnent. Voilà pourquoi on rencontre souvent une personne de 80 ans qui en a l'air de 65, qui est encore très active et très éveillée mentalement. J'ai un ami de 87 ans qui joue au tennis avec notre groupe et qui dirige toujours une entreprise de distribution de vin. Même s'il court moins vite que les plus jeunes, il place bien la balle. «Comme je ne peux plus jouer avec mes bras, je joue avec ma tête», nous a-t-il déjà dit. Un homme d'un grand raffinement, d'un bon sens de l'humour et d'excellent conseil pour nous tous, ses partenaires de tennis. J'ai retenu une autre de ses citations: «Quand j'étais jeune, je recevais des critiques; j'étais un homme critiqué. Maintenant que je suis plus vieux, je reçois des hommages; je suis un hommagé (homme âgé).» N'est-ce pas extraordinaire? Vive le retraité heureux!

Afin d'éviter autant que possible les problèmes psychologiques liés à la retraite et d'être disposé à endosser le rôle du retraité heureux, il faut savoir à quoi s'attendre et bien s'y préparer. Néanmoins, que vous soyez un homme ou une femme, et quel que soit votre domaine professionnel, plusieurs mythes sur la retraite persistent. En voici quelques-uns :

- Vous avez toujours été malheureux à votre travail et vous comptez sur la retraite pour trouver enfin le bonheur.
  FAUX. Ceci ressemble à la description du retraité insatisfait. Si la retraite peut se révéler un moment privilégié pour certains, elle ne devrait pas être une fin en soi. Plusieurs déchantent rapidement après avoir cessé de travailler, d'où l'importance de bien réfléchir et de se préparer avant de faire le grand saut. Ne rêvez pas en couleurs ! La retraite n'est pas le paradis. Ça viendra plus tard.

- Vous avez travaillé pendant 50 ans, vous avez contribué aux fonds de pension des gouvernements et payé des impôts. Les gouvernements vous doivent un retour sur votre investissement.
  FAUX. Tout dépendra de la situation économique. Par exemple, si rien n'est fait, le compte du Régime des rentes du Québec sera vide en 2030.

- La retraite, ce sont les vacances à perpétuité.
  FAUX. Après l'engouement du début, ce peut être le désenchantement.

- À la retraite, vous développerez facilement des *hobbies* et ferez du sport.
  FAUX. Si vous n'avez pas manifesté d'intérêt pour cela avant la retraite, il vous sera plus difficile de

concrétiser vos projets et vous devrez fournir un peu plus d'efforts.

• Vous continuerez à voir vos collègues de travail. **FAUX.** Vous serez vite oublié dans votre milieu, à moins d'avoir développé quelques amitiés en dehors du travail.

• Votre conjoint ou votre conjointe et vous ferez tout ensemble. **FAUX.** Il y a ici un danger de grande déception et de frictions. L'absence de liberté et la sensation d'être toujours encadré peuvent facilement étouffer l'un ou l'autre des membres du couple.

Ces idées erronées peuvent nous amener à mal nous préparer à la retraite, mais aussi engendrer d'autres problèmes :

• la perte de repères et la déprime ;

• le stress causé par l'incertitude face à l'avenir ;

• la perte d'identité sociale ;

• la sensation de devenir vieux ;

• les rêves de retraite irréalistes ;

• les turbulences financières.

Souvenez-vous que vous aurez théoriquement de 20 à 30 ans de vie active devant vous quand vous arriverez à la retraite. Voilà pourquoi vous avez besoin d'un plan pour la retraite tout comme vous en aviez probablement un lors de votre période de travail.

Certains, rares, se préparent à la retraite longtemps d'avance dans la perspective d'un projet de vie. Il faudrait que la majorité adopte cette vision à long terme et mette au point un plan de retraite qui lui permette de franchir sereinement cette étape et d'être à même de profiter de la période qui lui succède. Ce plan devrait s'articuler autour de trois facteurs. Il doit :

1. Tenir compte des nouvelles relations à établir avec le conjoint, la famille et les amis ;

2. Être lié à l'action : se lancer dans une nouvelle carrière, retourner dans le milieu du travail, retrouver ses amours, ses amis et ses rêves de jeunesse, se refaire une santé, retourner aux études, s'engager dans la communauté, aider les plus faibles et les démunis, renforcer le pont entre les générations, réveiller ses talents, etc. ;

3. Être lié à un art de vivre équilibré, c'est-à-dire mettre en place une bonne qualité de vie et un mieux-être. Par exemple, certaines professions libérales, artistiques ou artisanales sont plus qualitatives et peuvent donc être pratiquées plus longtemps. On ne naît pas médecin, avocat, professeur, ouvrier ou artisan ; on le devient. Si on peut apprendre une profession ou un métier, on peut sûrement apprendre une nouvelle activité ou un nouveau travail.

Mon beau-père a œuvré toute sa vie dans le domaine de l'imprimerie. Dès le début de sa retraite, il a suivi des cours de sculpture, ce qu'il désirait faire depuis plusieurs années, et s'est mis à créer des bas-reliefs magnifiques, à son rythme. Il est devenu ami avec d'autres personnes qui suivaient les cours, son projet était lié à l'action et sa nouvelle occupation lui permettait d'avoir une bonne qualité de vie. Sans le savoir, il a tout à fait répondu aux trois facteurs d'un bon plan de retraite.

Une fois le plan mis en application, plusieurs autres détails doivent être réglés afin d'atteindre la meilleure sérénité possible. Voyons-en quelques-uns :

VIVEZ DANS LE PRÉSENT

Ne remettez pas à demain ce que vous pouvez faire aujourd'hui, sinon vous semblerez submergé à un certain moment. Regardez le *ici et maintenant* ; cessez de radoter sur le passé, d'étaler vos malheurs et ne vous souciez pas trop du futur. Rappelez-vous constamment de penser jeune et de rester jeune. Le retraité actif aime changer ses habitudes et ne pas toujours suivre la même routine.

CESSEZ DE VOUS CONDUIRE EN VICTIME

Vous avez le choix de faire ce que vous voulez avec votre vie et de prendre les décisions sur la façon dont vous allez la vivre. Vous avez encore la vie devant vous ; cessez de la voir derrière vous. Les *baby-boomers* sont fatigués d'entendre dire qu'ils sont vieux et qu'ils devront se retirer bientôt.

AYEZ UN AGENDA ET PRENEZ DES NOTES

Même à la retraite, procurez-vous un agenda afin de tout noter et de ne rien oublier, que ce soient vos rendez-vous sociaux, familiaux, médicaux, financiers, etc. De plus, un petit calepin est très utile et on devrait toujours en transporter

un avec soi ; il nous permet d'inscrire des idées, des noms et des numéros de téléphone lors de rencontres. J'ai été très impressionné quand j'ai rencontré M. Jean-Paul L'Allier, ancien maire de Québec. Après que j'ai assisté à son discours très éloquent sur la santé mentale, inspiré par quatre mots sur une petite carte, il m'a raconté toujours avoir de petits cartons dans ses poches, lui servant à prendre des notes. J'ai rarement entendu un si beau discours fait à partir de si peu de mots.

DÉVELOPPEZ VOTRE RÉSEAU D'AMIS

Une fois à la retraite, on perd notre réseau d'amis du travail et on s'aperçoit parfois que les copains de toujours ne correspondent plus à ce qu'on est devenu. Évitez de rester cantonné toujours au même groupe et de côtoyer un cercle qui ne vous convient plus ou des gens négatifs qui sont une plaie déprimante. N'attendez pas de vous faire inviter à un comité, à une table ronde, à une association, à une fondation ou à un club de sport ; faites les premiers pas, faites-vous connaître. N'oubliez pas que les amis de vos amis sont aussi les vôtres. À l'aide de l'ordinateur, faites-vous ou faites-vous faire des cartes personnelles et n'hésitez pas à les distribuer. Somme toute, entretenez de bonnes relations avec le plus de gens possible. De cette façon, vous découvrirez des personnes merveilleuses que vous ne connaissiez pas hier et qui pourront devenir des amis intimes en l'espace d'une fin de semaine. Je me souviendrai toujours d'une belle phrase d'un ami psychiatre. Au cours d'une fête où on lui rendait hommage, il remercia tout le monde et nous offrit cette citation : « Il est agréable d'être important, mais il est plus important d'être agréable.» Finalement, vous n'êtes pas obligé d'avoir beaucoup d'amis, car la qualité est préférable à la quantité. Ils peuvent être des deux sexes ; depuis des années, j'ai une ou deux amies de filles à qui je me confie à l'occasion. D'autres de mes relations sont plus jeunes que moi et viennent de différents milieux. C'est ce que j'appelle avoir son propre conseil d'administration composé de personnes de sexes, d'âges, d'origines et de métiers divers. On apprend ainsi d'elles des choses intéressantes et on leur enseigne aussi notre savoir-faire. Quoi de plus stimulant ?

AYEZ LE SENS DE L'HUMOUR ET APPRENEZ À RIRE DE VOUS

«On ne prend pas l'humour assez sérieusement», racontait Victor Frankl, qui a développé la logothérapie, une technique de psychothérapie basée sur l'humour. Médecin et psychanalyste juif demeurant à Vienne au début de la Seconde Guerre mondiale, il était bien placé pour en parler. En effet, il fut arrêté et emprisonné dans un camp de concentration. Son père, sa mère, son frère et sa femme sont morts dans ces mêmes camps ; sa sœur et lui-même ont été les seuls survivants de la famille. Comme il était médecin, les Allemands l'avaient gardé pour soigner les autres prisonniers. On peut s'imaginer sa douleur et sa tristesse. À sa libération, le docteur Frankl s'est demandé comment il avait fait pour passer à travers toutes ces atrocités et il a identifié deux raisons. La première, c'est qu'il avait appris à rire de sa laideur cadavérique, et la seconde, c'est qu'en s'occupant des autres prisonniers malades, il oubliait son propre malheur.

Des émotions positives, comme l'humour, peuvent relaxer le système nerveux, améliorer la digestion et aider la circulation sanguine. Envisager une situation avec humour ne résoudra pas le problème, mais cela peut nous conduire dans la bonne direction et parfois nous sauver la vie. Un vieil ami me racontait qu'à la fin de la guerre, alors qu'il était prisonnier avec d'autres compagnons de l'Armée canadienne, il a dû marcher plus de 1000 kilomètres pour rejoindre ses troupes. En dépit de la faiblesse et de la malnutrition, aucun soldat n'est mort : tous savaient que la guerre était terminée et la joie était immense. Pourtant, ils devaient faire face à des conditions météorologiques épouvantables, au point que plusieurs chevaux sont morts ou ont dû être abattus en cours de route. Après que je lui ai raconté l'histoire de Victor Frankl, cet ami a ajouté : « Tu vois, c'est bien simple, les chevaux ne savaient pas qu'on avait gagné la guerre et de plus, ils n'ont pas le sens de l'humour. »

Il est aussi bon de rappeler cette phrase de John F. Kennedy qui donne à réfléchir : « Il y a trois choses qui sont réelles : Dieu, la bêtise humaine et le rire. Les deux premières sont au-dessus de notre compréhension, alors nous devons faire ce que nous pouvons avec la troisième. » Avoir de l'humour, sourire et rire sont des marques de santé positive.

APPRENEZ À RELAXER

Le concept de relaxation est encore mal compris. Combien de fois ai-je entendu dire : « Je relaxe en prenant un café ou en fumant une cigarette » ? La relaxation est pourtant alors impossible, puisque la caféine et la nicotine sont deux excitants du système nerveux.

Pour réussir à se relaxer, il faut un environnement calme. En ce sens, il est bon d'atténuer le plus possible les bruits environnants. C'est pourquoi la pratique de la relaxation doit se faire dans une pièce tranquille, à température moyenne et à éclairage tamisé. De plus, le sujet doit adopter une attitude passive et fermer les yeux pour diminuer les sensations visuelles et favoriser la concentration au besoin. La position doit également faciliter la détente musculaire ; ainsi, la position couchée ou assise est fortement encouragée pour réduire au minimum le travail postural. Ajoutons enfin que le sujet ne doit pas être gêné par ses vêtements ; il doit au moins enlever ses souliers et détacher son collet de chemise.

Il existe plusieurs techniques de relaxation qui ont été évaluées scientifiquement ; les principales sont le yoga, la relaxation progressive, le *training* autogène et la méditation transcendantale. L'apprentissage de ces méthodes demeure long et graduel. Même si vous n'appreniez qu'à vous relaxer en écoutant de la musique douce tous les jours, pendant une demi-heure, confortablement assis, les yeux fermés, ce serait sûrement un plus.

Un grand chercheur m'a déjà confié qu'il retrouvait le calme et la détente lors du service religieux du dimanche, qui lui permettait d'affronter la semaine qui suivait. Pour d'autres, la lecture est un bon moyen d'évasion, un moment de repos, de plaisir et de découvertes. Chacun peut trouver sa propre méthode, simple, mais efficace. Au cours d'un voyage en Provence, un retraité m'a donné sa recette : «Doucement le matin, lentement l'après-midi et pas trop vite le soir.» Il me semblait bien relaxé !

FAITES DU BÉNÉVOLAT

Parler de bénévolat, de nos jours, est très différent d'un discours aux dames patronnesses d'il y a 50 ans. En effet, le bénévolat d'aujourd'hui doit être considéré davantage comme un travail régulier, à temps partiel ou à plein temps. En ce sens, j'aime beaucoup mieux l'expression de *travail volontaire* que le terme «bénévolat» signifiant *qui est fait gratuitement et sans obligation*. Or, rien n'est fait gratuitement. Selon une étude, la première raison invoquée par les bénévoles est la valorisation de soi. On veut aider les autres, mais on veut aussi s'aider soi-même. Combien de personnes font du bénévolat pour sortir de la maison, se faire des amis, établir des contacts ou s'affirmer sur la place publique ? On pourrait multiplier les exemples. Le bénévolat, c'est donc donner… et recevoir.

J'oserais même dire que le bénévolat peut parfois être thérapeutique. Par exemple, combien de fonctionnaires et de bureaucrates ayant plafonné dans leur emploi à cause de la récession économique déprimeraient ou seraient en *burnout* s'ils n'étaient pas impliqués dans des causes sociales, humanitaires ou communautaires qui leur permettent de garder une bonne image d'eux-mêmes et d'avoir l'impression qu'ils sont utiles ? On pourrait aussi supposer que, sur le plan économique, nous épargnons des frais médicaux et psychiatriques grâce au bénévolat. Même le système judiciaire impose maintenant des travaux communautaires dans certains cas, préservant ainsi des sommes importantes en évitant l'incarcération et en aidant les détenus à obtenir une meilleure intégration sociale.

Le bénévolat représente donc une force extraordinaire au point de vue communautaire et social, et une activité valorisante et gratifiante. Il permet d'offrir à toutes et à tous une vie remplie d'activités intéressantes et riches en expériences humaines. Peut-être êtes-vous prêt à vous investir dans une cause ? Si tel est le cas, débutez modestement et soyez conscient de l'implication physique et émotive qui découle des tâches et de la clientèle. Augmentez progressivement votre participation si le type de bénévolat correspond à ce que vous voulez faire et si vous vous sentez à l'aise et utile.

SOYEZ ACTIF

« La vie, c'est comme une bicyclette ; il faut avancer pour ne pas perdre l'équilibre », a dit Albert Einstein. Cette phrase de ce personnage célèbre démontre que, dans la vie, il faut regarder en avant, mais aussi qu'il faut rester actif.

Par contre, être actif n'inclut pas seulement de faire de l'exercice physique, ce que nous avons abordé dans le chapitre précédent. « Actif » est l'adjectif du mot « activité », qui veut aussi dire *action d'une personne dans un domaine défini*. Encore ici, retenons qu'on ne peut pas être doué en tout, personne n'ayant la prétention d'exceller dans chaque chose qu'elle entreprend. Il faut se dégager de cette pression accaparante et se donner le droit à l'imperfection.

De plus, si quelqu'un est prêt à vous payer pour votre savoir ou vos compétences, ne refusez pas ; acceptez cette marque de confiance. J'ai un ami très talentueux qui est habile manuellement. Tous font appel à lui au moindre petit problème de plomberie, de menuiserie, d'électricité, etc. C'est sa façon à lui de rester actif. Par contre, quand on lui propose de le payer, il refuse sous prétexte d'amitié.

À chaque fois, je l'avertis que je ne le laisserai pas partir avant de le payer pour son travail. Je lui ai expliqué à quelques reprises que ce n'est pas parce qu'il est humble et timide qu'il ne peut pas recevoir une rémunération sous une forme ou une autre, un cadeau par exemple. Les gens hésitent à demander par crainte du rejet, parce qu'ils ont peur de se faire dire non ou parce qu'ils croient que leur tarif est trop élevé. En agissant ainsi, ils sont victimes de leur propre rejet. Ils se disent non à eux-mêmes avant d'offrir à quelqu'un d'autre la possibilité de leur dire oui. On voit très bien que ce ne sont pas les cartes qu'on a dans son jeu qui comptent, mais plutôt comment on les joue.

En restant actif et productif, vous augmenterez votre amour-propre, vous serez stimulé intellectuellement, vous resterez impliqué sur le plan social et vous enrichirez la vie des autres. C'est primordial si vous voulez jouir d'une retraite heureuse, libre et stimulante. Des chercheurs de Californie ont conclu que les personnes qui manifestent une diversité d'intérêts ne vivent pas seulement plus heureux, mais aussi plus longtemps que les autres.

Voici trois exemples qui démontrent qu'il faut regarder en avant et rester actif.

Le premier porte sur la persévérance de Terry Fox, ce jeune homme, atteint de cancer, décédé il y a plus d'une trentaine d'années et qui avait créé le Marathon de l'espoir en 1980. Porteur d'une jambe artificielle, il a parcouru 40 kilomètres par jour pendant 143 jours, pour un total de 5720 kilomètres, afin de ramasser des fonds pour le traitement du cancer. Il est mort un an plus tard. À des journalistes qui lui avaient demandé comment il faisait pour avancer alors qu'il était épuisé et avait encore des milliers de kilomètres à parcourir, il répondit : « J'essaie simplement d'atteindre le poteau électrique suivant. » Quel bel exemple de persévérance ! Comme je l'ai dit auparavant, il faut regarder en avant et non en arrière.

Le deuxième exemple porte sur les nombreuses possibilités de rester actif. Décédé en 1997 à l'âge de 84 ans, le grand fantaisiste américain Red Skelton donnait, passé 80 ans, encore plus de 75 représentations par année, il écrivait des histoires, composait de la musique et peignait. « J'ai 81 ans ; je devrais normalement en avoir 82, mais j'ai vécu un an à Winnipeg », écrivait-il à la blague.

Enfin, le troisième exemple est celui de François Bernatchez, un retraité actif qui s'était fixé comme objectif de publier un livre proposant des activités à faire à la retraite. L'ouvrage *1001 activités pour profiter de sa retraite* est paru en 2010 ; je l'ai lu avec intérêt et il m'a donné plusieurs idées. Ainsi, j'ai d'abord choisi 35 activités que je trouvais intéressantes, et j'ai retenu les 12 qui m'apparaissaient les plus attirantes. D'ailleurs, j'avais déjà commencé à en pratiquer quelques-unes, comme écrire un livre (vous en avez la preuve), faire la généalogie de ma famille, fabriquer des bâtons de marche que je donne en cadeau à des amis, faire du vitrail et suivre le marché immobilier pour mon fiston. J'en garde d'autres en réserve qui attisent particulièrement mon intérêt, comme écrire une pièce de théâtre, apprendre l'espagnol, faire évaluer ma collection de pièces de monnaie, visiter les marchés publics et faire des conserves. Parmi ces 1001 activités, il est certain que vous en trouverez au moins quelques-unes qui vous plairont à vous aussi. Ne venez surtout pas me dire que vous n'avez pas le temps. Si tel est le cas, prenez un cours sur la gestion du temps et mettez-le en pratique.

D'un point de vue pragmatique, voyons quelques conditions fondamentales pour que nous puissions, chacun d'entre nous, vivre une retraite heureuse et satisfaisante sur le plan psychologique.

1. Gardez votre optimisme ; le secret, c'est de croire en soi. « Même à l'orphelinat, dans les rues, alors que je n'avais rien à manger, je me voyais déjà comme le plus grand acteur du monde », disait Charlie Chaplin.

2. Acceptez votre âge grâce à une restructuration de vos occupations et à une réorientation vers d'autres activités valorisantes.

3. Restez occupé en planifiant des activités à tous les jours.

4. Soyez motivé : le dynamisme amène l'action et l'action amène le dynamisme.

5. Ayez des projets : un voyage, des travaux de rénovation, un nouvel *hobby*, etc.

6. Apprenez de nouvelles activités : cours de langue, de musique, de peinture, de sculpture, etc. Développez vos habiletés avec les nouvelles technologies.

7. Prenez un intérêt actif dans la vie des autres, redéveloppez vos anciennes relations d'amitié et établissez-en de nouvelles.

Chapitre 6

Le couple à la retraite

Non seulement la personne doit-elle s'ajuster physiquement et psychologiquement à la retraite, mais un nouveau *modus vivendi* doit aussi s'établir dans son couple, incluant des concessions mutuelles. Les études démontrent que, lorsque les deux conjoints travaillent, il faut avoir au moins cinq heures de vie intime par semaine pour avoir une bonne relation de couple. Se retrouver avec 60 ou 80 heures de vie intime par semaine peut, au contraire, provoquer des frictions importantes. Que faire pour aplanir ces difficultés?

Le passage à la retraite entraîne une certaine appréhension, chez les hommes peut-être encore davantage. Ils doivent faire le deuil de leur profession ou de leur métier, et plusieurs le vivent assez mal. Il y a quelques années, une étude québécoise a démontré que, pour l'homme, gagner sa vie est sa principale activité après la télévision, alors que, pour la femme, le travail vient en septième position, après la télévision, les visites et les soupers avec les amies et les parents, la marche, la lecture, les jeux et le magasinage. Pour l'homme, sa carrière, c'est sa vie, alors que, pour la femme, souvent plus sage, la carrière fait partie de la vie.

À la retraite, les femmes semblent généralement mieux s'en tirer que les hommes; elles ont enfin du temps pour elles.

Elles ont le goût de sortir, de vivre de nouvelles expériences, de rencontrer des amis, de garder les petits-enfants ou de faire du bénévolat. « Je fais enfin ce que je veux, quand je le veux », me disait une copine. L'homme a quant à lui tendance à devenir casanier, à s'investir dans le bricolage, la rénovation ou le sport. Il existe donc parfois une bonne différence entre la façon de voir la retraite chez les hommes et chez les femmes, et de s'accommoder à cette nouvelle vie.

Pour illustrer ce point, je vous cite une lettre envoyée par une lectrice au courrier de mon amie Louise Deschâtelets dans *Le Journal de Montréal* du 4 juillet 2011 :

J'EN AI MA CLAQUE DE FAIRE
TOUTES LES CONCESSIONS

Je suis mariée depuis 45 ans à un homme qui, quand il travaillait, tenait à avoir une vie sociale. Nous sortions donc pour [nous] changer les idées. Depuis que nous sommes à la retraite, il ne veut rien faire à part regarder la télé et se coucher à 20 h 30. Jusqu'à maintenant, je n'ai rien dit, mais je ne sais pas combien de temps je vais tenir. J'en ai marre de faire toutes les concessions et de vivre avec un tel égoïste. Je ne suis pas parfaite moi non plus, mais au moins j'accepte de faire des concessions, lui jamais.

Une femme mariée qui a des envies de célibat certains jours

La sage réponse de Louise mérite d'être rapportée :

Vivre à deux à la retraite ne veut pas nécessairement dire partager chaque seconde avec l'autre. Chacun doit se réserver des plages de répit et de loisir en solitaire ou avec des amis. Aucun des deux membres du couple n'a le monopole de l'utilisation du temps de l'autre, mais pour que l'autre sache que sa façon de voir la vie vous ennuie, il faut le lui dire. Endurer en silence est la meilleure façon de faire perdurer votre supplice et de priver votre mari de s'amender.

Pour le couple, le plus difficile est de se retrouver sous le même toit 24 heures sur 24, 7 jours par semaine; les conjoints doivent nécessairement réapprendre à vivre ensemble. Pas facile de cohabiter après 45 ans de vie autonome! C'est un passage ardu que certains ne surmontent pas puisque environ 25 % des couples de retraités se séparent. La nouvelle vie à deux, une fois à la retraite, comporte donc des ajustements anodins en apparence, mais difficiles pour l'un et l'autre. Pendant 30 à 40 ans, les conjoints ont été ensemble, mais ont vécu de façon séparée, dans deux mondes différents. Deux mondes parfois antagonistes.

Bien souvent, les hommes ont été des leaders au travail et les femmes, des leaders à la maison, avec les enfants, et aussi dans leur emploi. Deux leaders ensemble, 24 heures par jour, ça risque de faire des flammèches, du moins de temps en temps.

L'homme ayant tendance à être seulement centré sur son travail, il sera plus dépourvu de moyens à la retraite, alors que la femme, qui a plutôt tendance à diversifier ses activités, aura moins peur de diminuer son rythme, de se retrouver seule, etc. En plus, rendu à cet âge, l'homme se fait plus sage et tendre, tandis que la femme, les tâches domestiques et familiales étant réduites, cherche à élargir ses horizons, devient plus ferme dans ses décisions et plus égocentrique, après avoir beaucoup donné pendant plusieurs années. C'est le renversement des rôles. Autant les hommes que les femmes doivent composer avec cette réalité.

Par exemple, si le retraité attend impatiemment que son épouse rentre le soir, s'il lui reproche de regagner le foyer trop tard et grignote ainsi sa liberté, cela peut être fatal pour l'équilibre du couple. Un des deux conjoints peut constater le manque de souplesse, de communication ou d'ouverture de l'autre et découvrir qu'il ne le connaît pas vraiment ou qu'il n'a plus rien en commun avec lui.

Afin que le passage à cette étape dans la vie du couple se fasse sans heurts, il importe ici aussi de prévoir le coup et de respecter certaines règles d'or. Le nouveau rythme de vie allant de pair avec la retraite pourra alors être vécu agréablement plutôt que de miner la relation.

LA COMMUNICATION ET LA SOUPLESSE

En immobilier, on dit toujours que ce qui compte, c'est le terrain, le terrain et le terrain. Dans le couple, on doit dire «la communication, la communication et la communication»… en plus de la souplesse. Ayez une attitude positive l'un envers l'autre, de l'humour et acceptez le point de vue de l'autre ; communiquez de façon claire et efficace lors d'une discussion ; complimentez votre partenaire pour les efforts qu'il a faits pour vous comprendre. Enfin, quand vous discutez de points de mésentente, essayez de vous comprendre et non de convaincre l'autre.

Lorsqu'il a pris sa retraite, un de mes amis s'est mis à faire la cuisine, ce qu'il réussissait bien, d'ailleurs. Par contre, son épouse détestait le voir monopoliser SA cuisine, sortir plein de chaudrons, et s'impatientait devant l'évier débordant de vaisselle sale. Reste que, quand il avait terminé, il remettait tout en ordre. Devant cette invasion de domicile, son épouse l'accablait de remarques désobligeantes et se plaignait de sa façon de travailler. Après discussion, l'entente suivante fut conclue : pendant que monsieur jouerait le rôle de chef cuisinier, madame s'occuperait à d'autres activités *ailleurs* dans la maison et reviendrait dans la cuisine uniquement quand le travail de monsieur serait fini. La défense de madame vis-à-vis de sa forteresse disparut, de même que ses propos acerbes.

L'exemple ci-dessus le démontre bien : tout apprentissage nécessite de la volonté et un temps d'adaptation. L'ajustement du couple, à l'instar de celui de l'individu, implique de la flexibilité pour pouvoir laisser tomber certains rôles et en assumer d'autres de façon plus intensive, comme j'en parlerai plus loin. En bref, ne pas établir de contrôle sur l'autre, se parler, se faire confiance et ne pas s'accrocher à l'autre sont les conseils de base.

LA VIE PRIVÉE

Une vieille blague anglaise raconte que l'épouse d'un cheminot anglais qui venait de prendre sa retraite l'a tout de suite averti : « Harry, je t'ai marié pour le meilleur et pour le pire, pas pour te faire à manger.» Chaque conjoint devrait continuer, en bonne partie, de garder sa vie privée, aucun des conjoints ne devant devenir le serviteur ou l'esclave de l'autre. Cela veut dire de ne pas être dans les jambes de l'autre (au figuré, bien sûr) et de réapprendre ou de continuer à vivre seul par moments. Cela implique de pouvoir faire des sorties ou des voyages avec des amis, d'effectuer un séjour en solo à la maison de campagne ou encore de pratiquer une activité qui ne passionne que nous.

Pour chacun des conjoints, il importe de développer ses talents et de nouveaux intérêts, sans porter de jugements négatifs. Chaque membre du couple doit devenir davantage conscient de ses propres besoins et les faire connaître à l'autre, sans gêne, sans honte et sans remords. La vie change à la retraite, mais on ne peut pas se changer complètement.

LA NOTION DE TERRITOIRE

Dans la maison, le territoire est à renégocier en fonction du rythme et des nouvelles activités de chacun. Quand nous avons vendu notre maison pour aller en condo, ma femme et moi tenions à avoir une surface assez grande pour ne pas nous marcher sur les pieds. Si c'est possible, chacun devrait avoir une pièce personnelle, comme un bureau ou un boudoir. Si ce ne l'est pas, ce pourrait être une bonne idée de se partager l'espace disponible. Par exemple, les conjoints pourraient partager la table de cuisine pour leurs activités d'écriture. Ils pourraient aussi, à tour de rôle, avoir des loisirs à l'extérieur, laissant ainsi le domicile à l'entière disposition

de l'autre. La mise en place de règles de vie commune est une condition importante pour l'équilibre dans le couple.

LE PLAISIR D'ÊTRE ENSEMBLE

Il est utile de développer des affinités pour avoir de plus en plus de plaisir à être ensemble. Par exemple, un ancien professeur d'université que j'ai rencontré anime un atelier de poterie en plus d'exposer et de vendre ses œuvres. De son côté, sa conjointe crée bénévolement des costumes pour une troupe de théâtre amateur. Leur implication dans l'art leur permet d'échanger et de passer du temps ensemble. Lors d'un séjour en Floride, ma conjointe a suivi un cours de peinture avec un artiste connu de 69 ans dont la conjointe gère les horaires et les finances. Une autre bonne complicité de couple.

Avec le départ des enfants et la retraite, les deux partenaires se rapprochent l'un de l'autre ; ils cessent d'être orientés complètement sur les enfants, veulent vivre davantage en tant que couple et en tant qu'individus aussi. Quand chacun veut uniquement s'intéresser à son développement personnel, cela peut provoquer des tensions dans le couple et une incompréhension mutuelle. Voilà pourquoi, tout en protégeant l'individualité de chaque conjoint, un projet commun comme ceux que je viens de décrire est fort utile et permet aux conjoints de se rapprocher et de vivre sur la même longueur d'onde.

Depuis plusieurs années, à l'occasion, ma conjointe et moi collaborons à divers projets communs. Le plus récent a été la publication du livre *Brunch entre amis*, dont les droits d'auteur sont remis aux Impatients, un organisme caritatif de thérapie par l'art destiné aux personnes souffrant de maladie mentale.

RETOMBEZ AMOUREUX...
DE LA MÊME PERSONNE, SI POSSIBLE

Construire une relation de couple suppose de laisser sa liberté à l'autre, de revendiquer sa propre liberté dans une confiance mutuelle et de réfléchir ensemble à l'évolution du projet de vie. Continuez à mettre en valeur ce que vous appréciez de l'autre et retrouvez-vous en amoureux. Allez au restaurant, au théâtre, au cinéma, voir des spectacles. Intéressez-vous à l'autre. Elle suit des cours de yoga qui vous laissent froid et il est un crack des mathématiques que vous avez toujours détestées ? Dans ce cas, intéressez-vous plutôt à son talent pour le jardinage ou à son goût pour le jazz. L'une des meilleures façons d'entretenir la flamme, c'est de s'intéresser à l'autre. Appréciez-vous et complimentez-vous mutuellement. Si vous faites tout cela, vous serez assurément un couple de retraités heureux.

En terminant, le chercheur John Izzo a identifié cinq comportements qui nous permettent de réussir nos vies sur le plan humain. Ce sont :

1. Être honnête avec soi-même ;

2. Ne laisser aucun regret derrière soi ;

3. Vivre dans l'instant présent ;

4. Apprendre à aimer, à vivre et à agir de façon aimante ;

5. Donner plus que ce que l'on reçoit.

Chapitre 7

L'importance
de demeurer actif

Le changement est la loi de la vie.
Ceux dont le regard est tourné vers le passé
ou le présent sont certains de rater l'avenir.

John F. Kennedy

Dans les années qui viennent, de plus en plus de gens prendront leur retraite. Il y aura trois fois plus de vieillards de 85 ans et plus dans 15 ans qu'en 2001, et dix fois plus en 2051. La retraite sera donc plus longue, ce qui demandera plus d'épargne. Plus vous êtes jeune, plus vous courez la chance de voir votre espérance de vie s'améliorer d'ici à votre retraite. Vous devez donc la planifier en conséquence.

De plus en plus de gens choisissent ou se font imposer une retraite à cause de la situation économique. Il ne faut néanmoins plus regarder la retraite comme une fin en soi, mais plutôt envisager cette nouvelle phase de notre vie de façon aussi agressive que lorsque nous avons développé nos stratégies de carrière pour les étapes antérieures. On peut se découvrir un nouveau talent à 65 ans, mais tout apprentissage nécessite de la volonté, de même qu'un délai d'adaptation.

J'aime bien raconter l'histoire du président d'entreprise qui laisse trois enveloppes à son successeur en lui disant : « Quand tu auras un problème, ouvre l'une des enveloppes en suivant la séquence indiquée. » Une année s'écoule et le nouveau président se sent obligé d'ouvrir la première enveloppe : « Blâme ton prédécesseur », lui conseille une note. En suivant cette consigne, le problème s'estompe. Mais un autre survient peu de temps après. Notre homme ouvre alors la deuxième enveloppe : « Le temps fait bien les choses », lui rappelle l'ancien président. De nouveau, le gestionnaire applique l'adage, qui s'avère efficace pendant une certaine période. Finalement, toujours pris avec les mêmes ennuis, il ouvre la dernière enveloppe : « Prépare trois enveloppes », lui suggère l'ex-président. La morale de cette histoire est de ne pas attendre que les choses dégénèrent avant de régler les problèmes ou de partir. Si c'est vrai pour la carrière, il en va de même pour la retraite : il faut agir quand il est encore temps, et non pas attendre qu'il soit trop tard !

Voilà pourquoi, afin de vivre la retraite le plus sereinement possible, il faut se maintenir en forme physiquement et psychologiquement, mais aussi continuer à avoir une vie active, que ce soit en ayant un emploi à temps partiel, des contrats de consultant ou en faisant du bénévolat.

La majorité des retraités ont le sentiment d'être rejetés, mis au rebut. Une approche plus humaine est pourtant possible. Par exemple, en Suède, les travailleurs prennent leur retraite de façon graduelle, entre 60 et 70 ans, grâce à une réduction graduelle de leurs horaires. Pourquoi ne pourrions-nous pas faire la même chose ici ?

Mon père m'a déjà dit : « Je n'ai jamais autant travaillé que depuis que je ne travaille plus. » Est-ce à cause de cela qu'il était si en forme et si autonome au cours de ses quelques années de retraite, qu'il avait de nombreux amis et qu'il était toujours à l'affût des nouvelles et des dernières découvertes ? Je n'en sais rien, mais chose certaine, pour la première fois de sa vie, il était devenu son propre patron.

Il décidait lui-même des activités de sa journée et joignait l'utile à l'agréable. Comptable de formation, il avait gardé quelques clients auxquels il rendait encore de grands services à moindre coût et s'occupait des déclarations de revenus de la majorité des locataires de son immeuble. De plus, il était impliqué dans plusieurs organismes communautaires où il agissait comme secrétaire, trésorier, président, présentateur, communicateur, et j'en passe. Encore là, il se sentait utile et apprécié. De son côté, ma mère, qui avait une peur bleue de le voir coller à la maison, s'est vite rendu compte qu'elle n'avait plus à le réveiller dix fois par matin en lui disant qu'il allait être encore en retard au bureau. Elle sortait et voyageait maintenant beaucoup plus souvent avec lui. Le travail ne fait donc pas mourir et la retraite non plus, à la condition de continuer à être actif professionnellement ou socialement, voire les deux.

Pour être un retraité heureux, un chercheur suggère qu'il faut accepter soit la théorie de la flexibilité des rôles, soit celle du désengagement.

La première théorie postule qu'un bon ajustement au vieillissement se base sur l'habileté et la capacité d'un individu à être assez flexible pour pouvoir laisser tomber certains rôles et en assumer d'autres avec l'âge. Par exemple, une personne peut apprendre à laisser son statut de travailleur ou de parent actif et à jouer un nouveau rôle, comme celui de bénévole ou de grand-parent, selon les demandes qui lui seront faites par le système social. Au total, cet individu jouera sensiblement le même nombre de rôles, mais ils seront différents.

La seconde théorie, celle du désengagement, stipule qu'un vieillissement réussi dépend de l'acceptation par l'individu du besoin de se retirer ou de se désengager socialement et psychologiquement d'un certain nombre de rôles. Il s'agit ici d'un retrait volontaire de l'individu de certaines fonctions. Dans ce cas-ci, la personne impliquée aura des rôles moins nombreux qu'auparavant, mais elle pourra jouer chacun d'entre eux de façon plus intensive. Ainsi, un de mes amis a cédé son entreprise à ses enfants, mais il s'est gardé la comptabilité et la recherche plus active de clients.

En résumé, la théorie de la flexibilité des rôles soutient qu'on en jouera autant ou davantage, mais d'une façon différente, alors que la théorie du désengagement prétend qu'on endossera moins de rôles, mais qu'on pourra assumer chacun d'eux avec plus d'implication.

Avez-vous remarqué que, peu importe la théorie, la personne reste active et en contact avec la communauté ? La préretraite et la retraite ne changent rien à ces conditions et ne sont pas des vacances sans fin, ni des étapes signifiant qu'on ne vaut plus rien. Combien de gens n'ont jamais pensé qu'après la retraite, somme toute, il fallait continuer à travailler ? Combien de gens ont hâte de prendre leur retraite quand ils occupent un emploi et voudraient continuer à travailler le moment venu ? Ils n'ont ni planifié ni organisé cette étape pourtant si importante.

Le travail n'est pas le seul moyen pour satisfaire nos besoins physiques et psychologiques, mais la retraite ne doit pas être envisagée uniquement comme une source infinie de temps libre. Avec une telle philosophie, plusieurs retraités décrochent, se sentent inutiles, ne s'adaptent pas à leur nouveau mode de vie, car ils n'ont pas appris à développer leur autonomie, ayant toujours vécu dans un système bien organisé par les autres.

Laisser les retraités se retirer complètement, c'est nier leur expérience de vie, refuser des ressources réelles et utiles et se priver d'un capital humain extrêmement riche. En refusant de vous retirer, vous augmenterez votre sécurité financière et votre indépendance. Vous resterez dans le vrai monde, entouré de gens qui, comme vous, font des plans et ont des objectifs. Comme l'a affirmé Lise Payette, alors âgée de 80 ans : « Le plus important pour les vieux, c'est de rester dans la parade… C'est de refuser de baisser les bras, car il reste tant de choses à faire. »

Je me souviens d'avoir rencontré un couple charmant lors d'une de mes conférences sur la retraite dans une ville de la région des Bois-Francs. Monsieur, 75 ans, et madame, 71 ans, avaient géré une grande ferme pendant de nombreuses années. Avec l'âge, l'exploitation de la ferme devenait de plus en plus ardue, surtout depuis le départ des enfants, qui étaient partis fonder des familles sous d'autres cieux. Trois ans auparavant, en accord avec leurs enfants, ils avaient vendu la ferme, mais gardé leur grande maison. Quelques mois plus tard, ils y ouvraient une petite industrie de torréfaction qui fonctionne maintenant très bien. Depuis ce temps, les deux conjoints font un travail beaucoup moins exigeant et les enfants viennent les aider à l'occasion.

Voilà un bel exemple appuyant la théorie de la flexibilité des rôles. Ces deux personnes ont pu laisser tomber le rôle de fermiers afin d'assumer celui de torréfacteurs, plus facile à leur âge. Si vous le pouvez, prenez vous aussi une retraite progressive et adaptée à vos capacités, tout comme ce couple que je trouvais si épanoui.

Actuellement, dans le monde des affaires, la façon de faire change aussi face à la gestion du personnel plus âgé. Pensons seulement à la retraite progressive, aux horaires flexibles, au temps partiel et à la différence de mentalité entre les employés plus jeunes et moins jeunes. Par exemple, M. Gilles Guérin, professeur à l'École de relations industrielles de l'Université de Montréal, a mené une expérience avec deux vendeurs dans une quincaillerie : un jeune et un retraité. Alors que tous deux se tenaient derrière un comptoir, tous les clients sont allés vers le retraité. Les jeunes sont les maîtres de la *high tech*, alors que les plus vieux sont davantage *high touch*, c'est-à-dire qu'ils maîtrisent mieux le contact humain, l'empathie et l'expérience.

Les résultats de cette expérience laissent présager que les retraités seront de moins en moins mis au rancart et ce, pour trois raisons principales. Premièrement, sur le plan du travail, il y aura une pénurie de main-d'œuvre ; deuxièmement, sur le plan financier, l'avenir des régimes de pension est incertain ; et troisièmement, sur le plan personnel, des études démontrent que travailler est bon pour l'estime de soi, permet de se sentir jeune plus longtemps et est bénéfique pour le couple. À cet effet, voici d'autres exemples, ailleurs dans le monde, qui illustrent ces trois raisons.

En Chine, les garderies sont entièrement exploitées par des retraités qui reçoivent un peu d'argent et qui s'occupent des enfants de façon admirable. Combien de grands-parents seraient contents et motivés d'accomplir la même chose ici et peut-être bien souvent sans salaire ?

Aux États-Unis, le climat d'un hôpital pour déficients mentaux a changé complètement avec l'arrivée d'une équipe de travailleurs volontaires âgés. Plusieurs malades ont fait des progrès en peu de temps à cause de la bienveillance, de l'amour et du contact chaleureux et assidu de ces gens.

Enfin, en Angleterre, déjà en 1989, une chaîne de magasins de rénovation a fait une expérience. La direction a ouvert une nouvelle succursale composée uniquement d'employés de 50 ans et plus. Les résultats ont été étonnants. Sur une période de six mois, les activités ont rapporté des profits de 18 % au-dessus de la moyenne nationale, la rotation du personnel a été six fois plus basse que dans les autres magasins et l'absentéisme, moins important de 39 %. Et, comme dessert, les clients ont mentionné avoir eu une meilleure perception du service à la clientèle.

Au Québec, près du tiers des employés des grandes surfaces chez Rona et Réno-Dépôt ont plus de 50 ans, contre 8 % en 2000.

J'aime bien la chanson de Félix Leclerc, *100 000 façons de tuer un homme*, dont voici trois couplets : « La façon la plus sûre de tuer un homme, c'est de l'empêcher de travailler en lui donnant de l'argent. » « La meilleure façon de tuer un homme, c'est de le payer à ne rien faire. » « L'infaillible façon de tuer un homme, c'est de le payer pour être chômeur. »

Je suis à même de constater que mes amis retraités et encore actifs sont moins isolés et centrés sur eux-mêmes, plus optimistes quant à leur avenir, heureux de participer encore à la vie en société en donnant des conseils, en devenant mentors pour les jeunes, bref en continuant à offrir leur expérience et leur sagesse.

Chapitre 8

Se préparer financièrement à la retraite

Il est possible d'être jeune et pauvre,
mais non vieux et pauvre.

Tennessee Williams

Dès le départ, demandons-nous si la planification financière suivante n'est pas la meilleure : « Chers amis, si vous
aviez acheté pour 1000 $ d'actions de Nortel il y a un an,
aujourd'hui, ça vaudrait 0 $. Avec Enron, vous auriez
16,50 $. Avec WorldCom, moins de 5 $. Et si vous aviez
acheté 1000 $ d'actions de Delta Air Lines, il vous resterait
49 $. Mais si vous aviez acheté pour 1000 $ de bière et de vin
l'an dernier, que vous aviez bu toutes ces bouteilles et que
vous les aviez retournées pour toucher la consigne, vous
auriez obtenu 214 $. En se basant sur ces données, le
meilleur investissement est de prendre un coup solide, de
recycler et d'avoir du fun. » Voilà ce que je lisais le 19 août
2011 sur Internet.

Blague à part, de grands changements surviendront assurément au cours des prochaines décennies dans le domaine
financier à propos de la retraite.

L'argent est toujours un sujet brûlant. La grande question
pour plusieurs est : « Combien ai-je besoin d'épargner pour
ma retraite ? » Malheureusement, la plupart des gens se
fient sur l'État de même que sur le fonds de pension de leur
employeur et épargnent moins de 1 % de leur revenu. Et

c'est partout pareil. J'espère que vous n'êtes pas de ceux-là sinon vous courez vers une grande déception.

Dans tous les pays, les économistes s'entendent pour dire que les gouvernements ne pourront plus suffire. Les *baby-boomers* ont eu de la chance toute leur vie. Ils sont nés dans une période de prospérité remarquable où il n'y avait aucun problème à consommer des biens matériels. Ils voulaient quelque chose, ils l'obtenaient. Ce n'est plus le cas maintenant et ce ne le sera probablement plus jamais.

La vie est courte et l'argent, rare. Une enquête démontre que plus de 60 % des individus qui ont épargné pendant 25 ans et plus ont déclaré être satisfaits de leur retraite. La norme générale veut qu'un taux de remplacement de 70 % du revenu annuel brut moyen de fin de carrière permette de maintenir son niveau de vie durant la retraite. Par contre, il faut faire bien attention à cette règle. En effet, cette norme ne tient pas compte des particularités de chacun, qu'il s'agisse d'un célibataire qui gagne 100 000 $ ou d'une personne avec conjoint et quatre enfants qui gagne aussi 100 000 $. De plus, il faut savoir que les besoins varient avec l'âge, c'est-à-dire qu'ils sont bien différents à 65 ans et à 90. N'oublions pas non plus que nos revenus à la retraite ne seront pas nécessairement tous indexés au coût de la vie. Il importe donc de prévoir plus d'épargne pour compenser les effets de l'infla-tion. Par exemple, un coût de la vie annuel de 37 000 $ aujourd'hui sera de 55 000 $ dans vingt ans avec un taux d'inflation de 2 % par année.

Finalement, on doit savoir que plus nos revenus sont élevés, plus le défi de la retraite sera grand. En effet, les gens à bas salaires remplaceront en grande partie leurs revenus par les programmes gouvernementaux (Régime des rentes du Québec, Sécurité de la vieillesse et Supplément du revenu garanti), alors que les mieux nantis n'auront pas accès au régime fédéral de retraite. Les gens à revenus élevés devront donc avoir un bon Régime enregistré d'épargne-retraite (REER) en plus d'un important capital non enregistré.

Deux interrogations se posent, toutes deux avec une part d'inconnu : comment avoir assez d'argent jusqu'à sa mort et combien d'années va durer la retraite ? Voilà pourquoi il est difficile de s'assurer de survivre à son capital. Dans la préparation à la retraite, la sécurité financière est primordiale pour nous garantir de subvenir au moins aux besoins de base. Préparez-vous en conséquence afin de profiter de votre argent avant de mourir. Vous avez gagné votre vie honorablement, que vos enfants fassent comme vous. Le but financier ultime devrait être de dépenser vos derniers sous tout juste avant de mourir. C'est exactement ce qui est arrivé à ma mère qui, grâce à une bonne planification financière, a pu bénéficier d'une vie agréable jusqu'à son décès, à 93 ans.

Il nous faut donc mettre davantage d'argent de côté, soit une épargne annuelle raisonnable d'au moins 12 % du salaire annuel, qu'on le veuille ou pas, car l'avenir n'est pas rose. Il faut se préparer dès maintenant et non pas attendre dans cinq ou dix ans.

Voyons les faits :

- Les signes de ralentissement économique se multiplient.

- Vingt pour cent des *baby-boomers* à la retraite vivront sous le seuil de la pauvreté. En 2008, selon l'Institut de la statistique du Québec, le revenu total moyen disponible après impôts des personnes âgées de 65 ans et plus s'élevait à 24 139 $, soit 28 775 $ pour les hommes et 20 495 $ pour les femmes.

- Le Québec est la province la plus endettée et possède la pire cote de crédit parmi les provinces canadiennes.

- Le vieillissement de la population au Québec est un des plus prononcés en Occident. La horde des *baby-boomers* vieillissants fera exploser la demande et les coûts des services publics dans les prochaines années, surtout en santé.

- Le gouvernement ne peut plus augmenter les impôts, car nous sommes déjà parmi les plus taxés en Amérique du Nord.

- Dans un document publié en 2006, le porte-parole de la Régie des rentes du Québec rapporte que les régimes publics ne suffiront pas pour assurer les jours de ceux qui quitteront la vie active. Chose certaine, selon la Régie, il faut absolument un régime complémentaire, un fonds de pension, de l'épargne personnelle ou une combinaison de ces divers moyens.

- Le coût du programme fédéral de Sécurité de la vieillesse sera multiplié par trois d'ici 2030, passant de 36 milliards à près de 110 milliards. Le constat est inquiétant puisque la baisse de la mortalité a un grand impact sur les finances publiques.

- En 2010, d'après les déclarations de revenus, 93 % des déclarants avaient le droit de cotiser à un REER. Malheureusement, seulement 26 % d'entre eux l'ont fait.

- Trois personnes sur dix qui approchent de la retraite rapportent avoir moins de 10 000 $ en épargne-retraite.

- Seulement 25 % des Québécois cotisent à un REER ; ils mettent deux à trois mille dollars en moyenne par année et nombreux sont ceux qui vont retirer cet argent avant la retraite.

- L'indice canadien de report de la retraite montre que 77 % des Québécois n'ont pas de plan financier.

- L'endettement est un frein à l'épargne-retraite. Les jeunes ont une hypothèque, des dettes de consommation (prêt-auto, marge de crédit, prêt personnel et solde non payé sur une carte de crédit). Pour les jeunes, la priorité va sans doute au remboursement des dettes. Il en est de même pour les gens plus âgés. Selon un sondage de la CIBC, près de 58 % des Québécois à la retraite sont endettés alors que la moyenne nationale est de 27 %. Une autre enquête révèle que depuis les 15 dernières années, les faillites ont augmenté de 406 % chez les aînés âgés de 55 à 64 ans et de plus de 1000 % chez les 65 ans et plus.

- Pour chaque bénéficiaire du RRQ en 1990, on comptait 5,7 cotisants ; aujourd'hui, il n'en reste que deux et en 2040, il n'en restera qu'un. Les jeunes voudront-ils payer pour les retraités qui n'ont pas suffisamment cotisé ?

- Il n'est pas étonnant de constater, comme l'a fait la Financière Sun Life en 2011 après une enquête, que les Québécois ont moins confiance en leurs perspectives liées à la retraite et qu'ils sont inquiets quant à leur futur bien-être financier. Seulement 10 % des sujets interrogés ont très bon espoir d'avoir assez d'argent pour maintenir le style de vie recherché à la retraite.

- Trente-sept pour cent des Québécois quadragénaires admettent ne pas avoir encore cotisé à un REER, tout en reconnaissant qu'ils devraient le faire.

- Selon Pierre Fortin, professeur d'économie à l'UQAM, près des deux tiers des travailleurs de la classe moyenne n'ont pas accumulé assez d'économies pour empêcher leur niveau de vie de diminuer, puisqu'ils dépensent presque tous leurs revenus. Il faut donc trouver des moyens pour aider la classe moyenne à accroître son épargne.

ATTENTION! Je ne vous donne pas toutes ces données pour vous faire peur, mais plutôt pour vous démontrer l'urgence de la situation et le besoin de planifier votre retraite le plus rapidement possible.

Devant ces faits, deviendrons-nous de pauvres vieux ou des vieux pauvres? Pour remédier au problème, inspirons-nous de cette phrase du catéchisme des Caisses populaires en 1910 : « L'économie et l'épargne font la richesse et sont nécessaires à la vie d'un peuple. » Il y a longtemps qu'on semble l'avoir oublié.

Chapitre 9

Les régimes de retraite

Mis à part les régimes publics (Régime des rentes du Québec, Sécurité de la vieillesse et Supplément du revenu garanti), quand on parle de régimes de retraite, en général, on considère les régimes à prestations déterminées, les régimes à cotisations déterminées, les régimes à prestations cibles et les régimes enregistrés d'épargne-retraite (REER).

Voici un bref aperçu des différents régimes afin de vous permettre de réfléchir aux avenues possibles pour bien vous préparer financièrement à la retraite. Vous trouverez à la fin de cet ouvrage toutes les références consultées à ce sujet.

LE RÉGIME À PRESTATIONS DÉTERMINÉES

De nos jours, seulement un peu plus de 7 % des Québécois profitent d'un régime à prestations déterminées. Ce régime implique que, peu importe si la bourse chute ou si le régime est mal géré, les prestataires reçoivent à la retraite un montant fixe, calculé en fonction de leurs meilleures années de salaire et ce, pour le reste de leurs jours. Ce type de régime assure les revenus des retraités, mais comporte des risques pour les employeurs qui doivent en assurer la solvabilité.

La presque totalité des travailleurs permanents du secteur public (94 %) bénéficient de ce régime cinq étoiles, alors que dans le privé, seulement un travailleur sur cinq en profite. Or, les régimes de retraite à prestations déterminées sont très mal en point et la marmite est sur le point d'exploser...

À titre d'exemple, il manque actuellement 71 milliards au gouvernement du Québec pour payer les prestations de retraite promises aux fonctionnaires. Le gouvernement possède un fonds d'amortissement de 40 milliards, sauf que non seulement manque-t-il 31 milliards, mais les 40 milliards sont une somme empruntée. Ce trou dans les régimes de retraite du gouvernement ajoute donc 71 milliards à notre dette, que devront payer tous les contribuables, dont la plupart ne possèdent aucun régime de retraite. Et le trou risque de continuer à s'agrandir à cause, entre autres, de la croissance économique qui sera plus lente dans les années à venir et du vieillissement de la population. On commence à peine à prendre conscience des conséquences des promesses outrancières des politiciens...

La situation n'est pas rose non plus du côté du privé. Chez Air Canada, par exemple, le régime de retraite est déficitaire de deux milliards parce qu'il y a moins de cotisants actifs que de retraités, et ceux-ci vivent de plus en plus vieux.

Notre système de caisses de retraite n'est plus viable ; il ne peut plus s'autosuffire dans les conditions actuelles.

LE RÉGIME À COTISATIONS DÉTERMINÉES

En raison des problèmes évoqués aux pages précédentes, les employeurs se désintéressent de plus en plus des fonds de pension traditionnels garantissant une rente à vie et se tournent vers des régimes à cotisations déterminées qui font assumer aux participants les risques d'investissement.

D'après l'Association des comptables généraux accrédités du Canada, il reste environ 7 000 régimes à prestations déterminées dans le secteur privé au pays, comparativement à 8 000 à cotisations déterminées. Entre 1991 et 2006, le nombre de régimes à prestations déterminées a chuté de 4 %, alors que les régimes à cotisations déterminées doublaient presque, et la tendance est toujours à la hausse. Plusieurs industries se tournent vers les régimes à cotisations déterminées qui leur permettent de limiter les risques et les coûts. Cela indique que les prochaines générations auront à compter uniquement sur les régimes publics et à se pourvoir elles-mêmes d'un régime d'épargne-retraite enregistré, qui sera soumis aux fluctuations du marché et à des rendements plus incertains.

LE RÉGIME À PRESTATIONS CIBLES

Devant les difficultés de nombreux régimes de retraite à prestations déterminées (PD), de plus en plus de spécialistes préconisent la création de régimes à prestations cibles (PC), un compromis moins risqué pour les employeurs que les régimes à PD. À la différence d'un régime à PD, qui garantit une rente à vie à ses participants, un régime à PC fournit une prestation déterminée, mais capitalisée par des cotisations fixes de l'employeur. Pour le participant, ce régime n'a pas l'attrait d'un régime à PD, mais il semble moins mauvais qu'un régime à cotisations déterminées (CD), qui fait porter au participant tout le risque financier de ses revenus de retraite.

LE RÉGIME ENREGISTRÉ D'ÉPARGNE-RETRAITE (REER)

En raison des pressions qui sont de plus en plus fortes sur les régimes de retraite complémentaires et du nombre croissant de Canadiens qui ne disposent pas d'un régime de retraite en milieu de travail, le REER est sûrement un incontournable aux côtés des régimes publics. Une belle retraite se planifie; voilà pourquoi les contributions à un REER sont indispensables. Par son avantage fiscal, le REER est devenu le seul véritable véhicule d'accumulation de l'épargne-retraite, à l'exception des régimes publics, et ce, depuis 1957. Ce mode d'épargne pour la retraite repose sur le versement de cotisations déduites du revenu gagné. Le rendement dégagé à l'intérieur du régime s'accumule à l'abri de l'impôt jusqu'au moment du retrait.

Pour cotiser à un REER, il faut avoir gagné un revenu et avoir moins de 71 ans; le montant permis est de 18% du revenu brut gagné l'année précédente, avec des montants maximaux qui changent selon les années. Par contre, si vous cotisez au régime de retraite de votre employeur, cela réduit le montant que vous pourrez investir dans un REER. Si vous n'investissez pas la totalité de vos droits de cotisation, ceux-ci peuvent être reportés aux prochaines années.

Il faut néanmoins faire attention, car les cotisations excédentaires entraînent des pénalités. Vous pouvez contribuer par un versement unique ou par des versements périodiques qui ont l'avantage d'imposer une discipline d'épargne et de représenter de plus petites sommes à déposer, rendant la tâche plus facile à absorber.

Non seulement ces investissements sont déductibles d'impôt, mais ils permettent de faire fructifier votre argent pour votre retraite. Au départ, le REER est donc un bon abri fiscal. De plus, on n'a pas idée de ce que 1 000 $ investis tôt dans la vie peuvent devenir avec le temps. Au taux de 5 % par année, ces 1 000 $ deviennent 2 653 $ après 20 ans et 3 386 $ après 25 ans, selon Gaétan Ruest du Groupe Investors. Malheureusement, selon un sondage TD Waterhouse, 37 % des Québécois dans la quarantaine ne cotisent pas à un REER, 41 % cotisent annuellement, mais seulement 12 % disent déposer le montant maximal chaque année. Créé en 1957, le REER demeure encore une source de revenus marginale pour les retraités. On doit savoir que nous devrons tous faire face à différents enjeux économiques, à des taux d'intérêt bas sur les placements garantis, à la grande volatilité des marchés financiers, à des impôts élevés et à l'incertitude liée aux prestations gouvernementales, qui est attribuable au fardeau de la dette publique en constante croissance. Il est donc urgent d'agir.

Quand vous serez vieux, voudrez-vous maintenir un niveau de vie raisonnable ? Je connais votre réponse. Alors, il faut en payer le prix et commencer à économiser le plus tôt possible. Devra-t-on en arriver à forcer les travailleurs à épargner, comme en Suède, ou à imposer la création d'un régime de retraite dans toutes les entreprises comme en Norvège? Au Québec, l'épargne forcée n'a pas la cote. Rappelons-nous que tous les partis politiques ont rejeté l'idée d'un REER obligatoire, proposée par l'ancien ministre Claude Castonguay en 2012. Plus récemment, le Québec ouvre la marche au pays quant aux mesures pour aider les employés des PME à obtenir un revenu de retraite suffisant, grâce aux régimes volontaires d'épargne-retraite (RVER) qu'il propose d'instaurer. En attendant, il est dans l'intérêt de chacun de s'occuper de son propre REER et de cotiser au maximum à chaque année selon ses revenus et ses obligations. Quand on veut atteindre un objectif, que ce soit se payer un voyage ou un nouveau téléviseur, on réussit souvent à budgéter pour mettre de l'argent de côté afin d'y arriver. Il devrait en être de même pour la planification de notre retraite. N'hésitez pas à consulter un représentant de votre banque ou d'une autre institution financière afin de planifier votre retraite le mieux possible sur le plan financier. Et méfiez-vous de ceux qui vous promettent mer et monde.

LE CELI

Un mot sur le compte d'épargne libre d'impôt (CELI). Depuis 2009, tous les gens âgés de 18 ans ou plus peuvent cotiser au moins 5 000 $ par année à un CELI. Les cotisations ne sont pas déductibles d'impôt, mais les revenus générés par cette épargne ne seront pas imposés. Voilà une autre façon d'épargner pour sa retraite. Contrairement à un REER, les cotisations à un CELI ne donnent pas droit à une déduction fiscale. Une stratégie optimale consiste à cotiser au maximum à son REER et prendre le remboursement d'impôt pour l'investir dans un CELI. Il faut souligner que, pour les retraités, les sommes retirées du CELI ne modifient aucunement les prestations de la Sécurité de la vieillesse et du Supplément du revenu garanti.

Enfin, les jeunes, les personnes à bas revenus et les retraités qui ne gagnent plus de revenus et qui ne peuvent cotiser à un REER pourraient utiliser le CELI comme solution de rechange intéressante pour générer des revenus à l'abri de l'impôt. Certains hauts salariés peuvent aussi rechercher des sources éventuelles de revenus de retraite moins imposables.

L'APRÈS REER

Le titulaire d'un REER doit y mettre un terme au plus tard le 31 décembre de l'année au cours de laquelle il fête ses 71 ans. Il faut à ce moment commencer à retirer l'argent investi dans un REER. Trois options s'offrent alors.

Premièrement, on peut retirer la totalité du montant accumulé ; cette option est à bannir car le montant sera pleinement imposable. Deuxièmement, on peut transformer le capital en rente. Il existe ici trois grands types de rentes : il y a la rente avec annuités certaines, versée au rentier ou à sa succession pendant un nombre fixe d'années ; la rente viagère sur une seule tête, versée au rentier jusqu'à son décès ; et la rente réversible, versée au rentier sa vie durant, puis à son conjoint jusqu'à son propre décès. Ne pas oublier que le choix d'une rente est irréversible. Enfin, troisièmement, le fonds enregistré de revenu de retraite (FERR) retient l'attention pour sa souplesse. Il permet au rentier d'étaler son revenu de retraite et de déterminer le montant exact qui lui sera versé chaque année. Par contre, le capital est assujetti à un retrait annuel minimal. Ce minimum correspond à une fraction de la valeur du FERR au début de l'année, montant qui augmente graduellement chaque année pour se stabiliser à 20 % quand le rentier atteint l'âge de 94 ans. Il est possible d'utiliser l'âge du conjoint, s'il est plus jeune, pour réduire les montants qui doivent être retirés du FERR.

Le FERR présente donc plusieurs avantages. Le titulaire conserve le contrôle de son capital, choisit ses investissements selon son profil, établit le montant qu'il veut retirer au-delà du minimum et décide de la fréquence à laquelle il souhaite recevoir ses versements. Enfin, au décès, le FERR est transférable, libre d'impôt, au conjoint survivant, sinon le solde du capital ira aux héritiers. Le seul risque que comporte le FERR est celui d'un épuisement du capital du titulaire avant son décès.

LE RVER ET LE RPAC

Le Québec offrira d'ici quelques années un nouveau régime d'épargne-retraite : le RVER ou le Régime volontaire d'épargne-retraite. Ce nouvel outil deviendra un programme important pour près de deux millions de personnes qui sont travailleurs autonomes ou employés de petites entreprises. À terme, chaque entreprise de cinq employés et plus devrait l'imposer à ses employés à un taux de cotisation préétabli, mais avec une possibilité de retrait du régime pour chaque employé. L'employeur n'est pas forcé de cotiser lui-même au régime de son employé.

Par ailleurs, en 2013, le gouvernement fédéral devrait offrir un pendant au RVER, soit le Régime de pension agréé collectif (RPAC) qui est à l'étape de projet de loi.

Chapitre 10

La retraite selon
qui vous êtes

Il n'y a pas de plan de retraite qui fasse l'unanimité. Tout dépend du moment où l'on peut ou doit prendre sa retraite, de son état de santé, de sa situation familiale et financière, sans compter que, selon qu'on soit un homme ou une femme, le défi peut être bien différent.

LES FEMMES ET LA RETRAITE

Dans notre société, de plus en plus de femmes travaillent, gèrent un budget et doivent prévoir leur retraite, qu'elles vivent seules ou en couple. Mesdames, que vous soyez salariées, travailleuses autonomes, temporairement à la maison ou étudiantes, la planification financière de la retraite sera souvent différente de celle des messieurs. En effet, malheureusement, la majorité des femmes ont encore un revenu inférieur à celui des hommes et ne reçoivent aucun salaire quand elles demeurent à la maison pour s'occuper des enfants. De plus, elles vivent plus longtemps que les hommes ; elles auront donc besoin de leur pension de retraite durant une plus longue période.

Par contre, les femmes sont généralement plus sages lorsqu'il s'agit d'épargne-retraite, comme le démontre une enquête de la Financière Sun Life. Celle-ci rapporte que plus de femmes que d'hommes ont changé leurs attentes à l'égard de la retraite et montrent une plus grande sensibilité aux menaces potentielles à leur sécurité financière. Ainsi, les femmes s'inquiètent davantage de l'inflation et de l'augmentation du coût de la nourriture que les hommes. Elles ont également tendance à moins tenir pour acquises les prestations de retraite provenant de l'État. Par conséquent, elles s'attendent à travailler plus longtemps afin de gagner assez d'argent pour vivre aisément à la retraite.

LES CÉLIBATAIRES ET LA RETRAITE

Selon une étude de la Banque de Montréal faite en 2009, 43 % des personnes de 65 ans et plus vivent seules. Mis à part que les célibataires n'auront pas nécessairement à se prévaloir d'une assurance-vie et ainsi économiser de l'argent, ils devront prévoir certaines conditions particulières : ils paieront des impôts plus élevés, car ils ne pourront prendre avantage des bénéfices fiscaux accordés aux couples ; ils devront assumer seuls leurs dépenses de loyer, de transport, de nourriture, etc. ; ils n'auront pas accès aux réductions pour les couples s'ils voyagent. Enfin, si vous êtes une femme, de façon générale, vous aurez gagné moins d'argent que les hommes ; vous aurez donc moins d'économies dans vos REER et en épargne.

Dans son étude, la Banque de Montréal a identifié six facteurs à considérer pour les célibataires, faisant aussi référence aux personnes qui divorceront ou deviendront veufs ou veuves d'ici ou pendant la retraite.

1. Planifier sa retraite le plus tôt possible : à la retraite, les personnes seules ne pourront pas compter sur l'appui d'un conjoint pour assurer leurs dépenses. Elles doivent donc investir tôt dans leur plan de retraite afin de faire fructifier leur argent le plus longtemps possible.

2. Acquérir et gérer son patrimoine financier : avec l'espérance de vie qui continue d'augmenter, les besoins financiers pour la retraite augmentent aussi, sans oublier l'inflation. Ainsi, à un taux d'inflation de 3 %, le coût de la vie doublera en 18 ans. Une personne qui a 47 ans, qui prévoit prendre sa retraite à 65 ans et à qui il coûte 40 000 $ par année pour vivre actuellement, aura donc besoin de 80 000 $ pour garder le même train de vie.

3. Comprendre ses revenus et dépenses : à l'âge de la retraite, les revenus des célibataires proviendront de diverses sources. Ceux-ci devront donc réviser leurs priorités et prévoir le style de vie souhaité pour ensuite déterminer combien d'argent il faudra mettre de côté pour atteindre l'objectif.

4. Adapter ses besoins en matière de logement : comme le loyer est probablement la dépense la plus importante des célibataires à la retraite, ils auront avantage à réévaluer leurs besoins sur ce plan-là. Par exemple, vendre la maison trop grande pourrait permettre une plus grande liberté financière. De plus en plus de personnes seules partagent une maison ou un condo avec une autre personne afin de diminuer les frais et de briser la solitude.

5. Se concentrer sur son bien-être émotif et social : les célibataires qui quittent le marché du travail perdent souvent leur réseau de collègues avec lesquels ils

entretenaient de bonnes relations. N'ayant personne avec qui partager leurs états d'âme, il y a le danger de souffrir d'isolement. Dans un tel cas, faire du bénévolat peut être bénéfique, tout comme s'inscrire à un club social ou sportif, par exemple de pétanque, de bowling, de lecture ou de peinture. Il existe une foule d'activités où chacun peut s'intégrer facilement et développer sa vie sociale.

6. Prévoir une stratégie de santé : qu'arrive-t-il si un célibataire tombe malade ? Qui s'occupera de lui ? Qui subviendra à ses besoins pendant sa convalescence ? Les célibataires doivent penser à souscrire à une assurance-maladie qui pourra payer les frais médicaux et les dépenses. Ils doivent aussi déterminer qui sera habilité à prendre des décisions à leur place s'ils ne sont pas en mesure de le faire, puisqu'ils n'ont pas de conjoint, et peut-être pas non plus d'enfant. Il faut choisir à l'avance une personne de confiance, qu'elle fasse partie de la famille plus lointaine ou qu'elle soit un ami proche.

En conclusion, l'étude de la Banque de Montréal montre qu'il est plus critique pour les célibataires de bien planifier leur retraite, car ils ne peuvent souvent compter que sur eux-mêmes pour assurer leur bien-être financier.

LE COUPLE À LA RETRAITE

De nos jours, l'argent demeure la principale source de conflits entre conjoints. Pour atténuer ces difficultés, certains conseils s'imposent :

- Apprenez à bien vous connaître : si vous êtes un épargnant averti et que votre conjointe dépense impulsivement, tentez alors d'établir un budget réaliste que les deux conjoints pourront respecter.

- Travaillez ensemble quand vous avez des décisions financières importantes à prendre.

- Ayez chacun au moins un compte bancaire et une carte de crédit à votre nom. Chaque membre du couple peut ainsi se constituer une cote de solvabilité solide en plus de maintenir un bon niveau d'autonomie financière.

- Mettez chacun de l'argent de côté pour des objectifs communs comme partir en vacances, faire des rénovations à la maison ou éliminer des dettes.

- Établissez un fonds d'urgence afin de vous prémunir contre les imprévus : une importante réparation automobile, une inondation du sous-sol, etc.

- Selon les études, à 65 ans, un taux de retrait initial de 4 % indexé chaque année est considéré comme sécuritaire pour vous éviter d'épuiser votre capital. De plus, il est suggéré de prélever d'abord à partir de vos placements non enregistrés.

Comme on peut le constater, bien gérer ses finances apporte beaucoup de satisfaction sur le plan personnel et social. Le remboursement des dettes, l'épargne et une bonne gestion de son portefeuille améliorent la qualité de vie non seulement à la retraite, mais durant la période sur le marché du travail.

L'ENDETTEMENT

Le départ à la retraite entraîne parfois des réalités reliées à une baisse de revenus qui peuvent s'avérer difficiles si les dettes nous étreignent. N'oublions pas que les prêts hypo-thécaires représentent la part la plus importante de l'endettement des ménages au Canada, avec environ 68 % de toutes les dettes. D'ailleurs, savez-vous que 35 % des Canadiens ne paient pas chaque mois le solde entier de leur carte de crédit et se font égorger par les taux d'intérêt ?

Pour obtenir un pouvoir d'achat maximal au moment de la retraite, il faut au moins résoudre un peu la situation de ses dettes. Évidemment, le mieux serait de solder tout cela avant de prendre sa retraite, puisque ces remboursements vont devenir lourds pour une simple pension.

Pour plusieurs personnes, se sortir du cercle stressant de l'endettement doit devenir un objectif financier prioritaire. Il n'est peut-être pas réaliste de vous débarrasser de toutes vos dettes, mais vous pouvez améliorer votre situation en suivant les conseils suivants de spécialistes en gestion de portefeuilles :

1. Évitez les dettes : vivez en dessous de vos moyens et épargnez au lieu de vous endetter.

2. Remboursez plus que le minimum : même si c'est tentant de ne rembourser que le solde mensuel minimum de votre carte de crédit, cette habitude peut finir par vous coûter des centaines de dollars supplémentaires en intérêts.

3. Révisez votre budget : un bon budget permet de maîtriser les dépenses et de diminuer vos dettes.

4. Refinancez vos dettes à taux réduit : profitez-en pour consolider vos dettes en un seul emprunt bancaire ou sur marge de crédit à un taux d'intérêt plus bas, mais

ce uniquement si vous vous sentez capable de gérer la remise d'argent de votre marge de crédit.

5. Réduisez les intérêts : remboursez en premier vos cartes de crédit ou vos dettes ayant les taux d'intérêt les plus élevés. Disciplinez-vous en ne vous servant que d'une seule carte de crédit.

6. Comparez les cartes de crédit : il en existe des centaines, chacune avec un taux d'intérêt, des frais annuels et un programme incitatif différents. Comparez et trouvez celle qui est la plus avantageuse pour vous. N'en possédez qu'une seule et évitez d'acheter des biens non essentiels à crédit. Si vous voulez vous payer un spa ou un voyage dans le Sud, attendez d'avoir amassé l'argent nécessaire avant de vous l'offrir.

7. Recherchez des sources de revenus supplémentaires : divers programmes de soutien additionnel sont proposés aux personnes à faible revenu. Informez-vous. Pour les gens plus actifs, le retour sur le marché du travail à temps partiel demeure une solution logique pour payer ses dettes et se sortir complètement du guêpier.

8. Constituez-vous un fonds d'urgence : il vous permettra de faire face aux imprévus (fenêtres à changer, réparations majeures à l'automobile, maladie). En général, un bon fonds d'urgence permet de survivre pendant au moins trois mois.

9. Réduisez vos impôts : augmentez votre revenu net disponible en utilisant toutes les déductions et crédits d'impôt pouvant s'appliquer à votre situation familiale.

10. Augmentez vos connaissances financières : assistez à des ateliers offerts par divers organismes conçus principalement pour l'éducation financière des consommateurs.

11. Trouvez-vous un conseiller : il est rarement facile de se libérer de ses dettes. Un planificateur financier qualifié ou un employé de votre banque peuvent vous aider à atteindre vos objectifs.

LA GESTION DU BUDGET

À la retraite, on passe à un style de vie plus simple. Pourtant, j'ai toujours dit qu'il est plus facile de passer des hot dogs à un bon steak que l'inverse et qu'à la retraite, même avec des moyens plus limités, je m'arrangerais pour ne pas retourner aux hot dogs comme quand j'étais jeune et sans le sou !

Il faut donc avoir une bonne gestion de son budget. Pour ce faire, il importe de connaître le montant que vous dépenserez au quotidien afin de cibler vos besoins. Pour en avoir une idée sommaire, notez toutes vos dépenses pendant trois mois et soustrayez celles que vous n'aurez plus à la retraite (par exemple, vêtements de travail, repas au restaurant le midi, transport pour aller au travail). Additionnez ensuite les nouvelles dépenses que vous prévoyez avoir dans l'avenir (par exemple, l'abonnement à un club de golf, montant annuel réservé aux voyages). Ce calcul vous donnera au moins une petite idée de vos besoins en argent.

De plus, à la retraite tout comme pendant votre carrière, votre conjoint et vous devriez contribuer aux dépenses et à l'épargne en proportion de vos revenus.

N'oubliez pas que les coûts de santé et d'assurances vont augmenter, de même que ceux de l'alimentation (à moins que vous vous mettiez à jeûner!). De plus, les rencontres plus fréquentes avec la famille et les amis vont occasionner des dépenses supplémentaires, tout autant peut-être que les dépenses de voyage. Le prix des vêtements à la mode ne cessera d'augmenter. Porterez-vous toujours vos vieux habits ou vieilles robes, ou voudrez-vous rajeunir votre garde-robe? Enfin, le coût de l'essence ne diminuera pas non plus.

Il est donc loin d'être clair que les dépenses vont diminuer à la retraite et personne ne peut plus se fier à l'État, à la Bourse ou aux enfants. La planification serrée du budget à la retraite devient primordiale.

Voici quelques moyens pour maximiser votre budget:

- Analysez vos dépenses: examinez vos factures mensuelles afin de savoir exactement où disparaissent vos dollars. Récemment, j'ai révisé mon compte de téléphonie et, par un simple appel, j'ai réussi à diminuer de 32 $ ma facture mensuelle; une économie de près de 400 $ par année.

- Éliminez les sources de gaspillage: par exemple, supprimer l'achat d'un café à 1,50 $ par jour peut vous faire économiser plus de 500 $ par année.

- Profitez des soldes de fin de saison et des promotions destinées aux aînés: un bon nombre de restaurants, de magasins et d'entreprises offrent des rabais hebdomadaires ou mensuels aux 65 ans et plus. Par exemple, un ami, ancien président de banque, me disait que, le mercredi, notre épicier accordait un rabais de 10 % à la clientèle âgée; il suffisait de le demander puisque, bien sûr, il n'affichait aucune publicité à ce sujet. Même un ancien président de banque cherche à économiser. Des rabais sont aussi accordés pour les assurances, le transport en commun, les loisirs, le cinéma, etc.

- Avez-vous vraiment besoin de deux voitures? Si vous répondez par la négative, vous venez de faire une économie annuelle possible de près de 5 000 $. Pensez plutôt aux transports en commun; vous n'aurez plus à débourser pour l'essence qui ne cesse d'augmenter, le stationnement, les assurances et l'entretien de la voiture.

- Optez pour des solutions de remplacement: allez au restaurant le midi au lieu du soir; c'est meilleur marché. Encore mieux, cuisinez et recevez vos amis à la maison plutôt que de les rencontrer au restaurant.

- Profitez des spéciaux de dernière minute pour voyager et visitez des pays où le huard vole haut.

- Enfin, si vous le pouvez, transférez automatiquement un montant fixe d'argent lors de chaque dépôt de votre pension dans un compte d'épargne distinct ou, mieux, dans votre CELI.

VENDRE OU NE PAS VENDRE?

Un bon nombre de couples de retraités décident de déménager dans un quartier plus paisible, dans une ville plus petite, dans leur maison de campagne ou dans le Sud. À moins d'y être obligé, prenez votre temps avant de faire ce changement, discutez-en ensemble et, si vous allez dans ce sens, assurez-vous d'être tous les deux d'accord. Ne faites pas l'erreur de vous isoler, de vous retrouver en terrain inconnu, sans proches et sans amis.

Plusieurs *baby-boomers* pensent qu'ils vendront leur maison à gros prix et qu'ils vivront avec ce profit. Attention ! La bulle de l'immobilier va éclater ici un jour tout comme elle l'a fait aux États-Unis. Selon les endroits, regardez combien les propriétés valent maintenant. Comme disent les anglophones : *location, location, location.* L'augmentation du prix des habitations fait croire aux gens qu'ils sont riches, mais c'est une illusion. Qui va avoir les moyens d'acheter les grosses villas des *baby-boomers* ? Il ne faut donc pas mettre tous vos œufs dans le panier « Vendre la maison ». Le panier peut se retrouver percé.

Si vous possédez deux propriétés, une résidence principale et une maison de campagne, cela risque de présenter un dilemme pour vous, lorsque vous serez un retraité en quête de revenus.

Vos résidences principales et secondaires ne génèrent pas de revenus et peuvent mettre une pression indue sur votre budget. À la retraite, si vos actifs à usage personnel, incluant vos deux maisons, représentent plus de 20 à 25 % de votre actif total net, vous pouvez risquer de manquer de liquidités.

Afin d'éviter d'être *house rich, cash poor,* (riche en immobilier, pauvre en argent comptant), considérez les options suivantes :

- Louez votre résidence secondaire.

- Vendez une partie du droit de propriété de votre maison de campagne à un ami, par exemple 50 % de la valeur de la maison. Ce montant d'argent vous permettra de payer vos dettes ou d'investir après impôt.

- Vendez votre maison secondaire si vous avez moins d'énergie pour l'entretenir, s'il y a des travaux majeurs à y faire, une augmentation des taxes et des frais de transport, ou encore parce que vos enfants n'auront pas les moyens, l'intérêt ou le temps de s'en occuper quand vous la leur léguerez.

- Vendez votre résidence secondaire à sa juste valeur à vos enfants qui sont intéressés. Selon la valeur de la résidence et les revenus des enfants, avec des paiements échelonnés sur cinq ans, l'achat peut être plus facile à réaliser. De votre côté, vous vous assurerez une entrée régulière d'argent et vous étalerez l'impôt sur le gain en capital sur ces années.

- Déménagez dans votre maison de campagne. Vendez votre résidence principale, libre de gain de capital, plutôt que la maison secondaire, et investissez le capital pour retirer des revenus. Plusieurs de mes amis ont choisi cette solution. La maison secondaire devient ainsi la maison principale avec les bénéfices que cela implique lors d'une vente éventuelle. Évidemment, le couple doit être d'accord pour aller vivre en région et se satisfaire d'un train de vie beaucoup plus tranquille qu'à la ville. Par contre, il peut y avoir des compromis intéressants. C'est ainsi qu'un de mes amis, qui demeure maintenant à plein temps à la campagne, a adopté un joli *bed and breakfast* à Montréal où il séjourne lorsqu'il assiste à des activités en ville. Un autre loue un petit studio tout à fait charmant au centre-ville et un dernier a pris un arrangement d'un an avec un hôtel de Laval qui lui garantit la même suite lorsqu'il s'annonce trois jours à l'avance. Enfin, d'autres jouissent de leur maison l'été et quittent la campagne pour le Sud pendant quatre à cinq mois l'hiver. Il y a donc des compromis et des solutions intéressantes ; encore faut-il avoir les moyens pour mener à bien ces projets.

VOUS LOGER SELON VOS BESOINS

Jusqu'à maintenant, ces solutions impliquent que vous êtes en forme et vivez de vos rentes. Il est reconnu que le milieu joue un rôle important sur la qualité de vie. Pour déterminer vos besoins en matière de logement, il faut vous poser certaines questions, selon l'ACEF (Association coopérative d'économie familiale) des Basses-Laurentides :

- Êtes-vous propriétaire ou locataire ?

- Êtes-vous seul (ou seule) ou en couple ?

- Quel est votre état de santé ?

- De combien d'argent disposez-vous pour vous loger ?

Soyons optimistes et partons du principe que vous êtes autonome. Vous avez alors cinq choix :

1. La maison : si votre hypothèque est payée, votre maison vous permet d'avoir un logis à coût abordable. Par contre, une maison nécessite des soins : le ménage, la tonte du gazon, le déneigement, et ainsi de suite. Vous devrez donc prévoir des contrats de service pour l'entretien que vous ne pourrez plus assumer.

2. Le condo : si vous désirez demeurer propriétaire, le condominium apparaît un bon choix. Finis l'entretien, le système d'alarme, le pelletage et la voiture dans la rue. Quel bonheur d'appuyer sur un

bouton pour ouvrir la porte du garage chauffé, de ne pas avoir à courir au bureau de poste pour aller chercher un colis, de jouir d'un gymnase, d'une terrasse et d'une piscine, par exemple! Effectivement, selon la localisation, plusieurs condos se vendent à des prix assez abordables et offrent une variété de services. De notre côté, quand la maison familiale est devenue trop grande à la suite du départ des enfants, nous l'avons mise en vente et avons acheté un condo. La vente de la maison a payé le condo, et les frais mensuels correspondent aux dépenses qui devaient être assumées pour notre ancienne résidence. Bien sûr, il a fallu faire un ménage de tout ce que nous avions gardé et empilé pendant 20 ans. Pourquoi ne pas faire place nette quand on a la capacité de transporter des boîtes et de donner tout ce qui ne sert plus?

3. L'habitation intergénérationnelle: de plus en plus à la mode, le logement intergénérationnel permet de vivre près de vos enfants ou de vos proches dans une maison unifamiliale à laquelle on a ajouté un appartement supplémentaire à l'étage, dans le garage ou même dans un petit bâtiment dans la cour arrière, là où le zonage le permet. J'ai aussi connu une dame qui a acheté un véhicule récréatif qu'elle stationne sur le terrain de la maison de campagne de son fils pour l'été et qu'elle déménage en Floride l'hiver. Dans beaucoup de familles, on désire vivre à proximité les uns des autres, mais on refuse d'habiter ensemble dans un même espace résidentiel. La maison intergénérationnelle répond à ces exigences. Ce genre d'habitation favorise l'autonomie et permet de vieillir dans un environnement familier; il répond aux besoins affectifs, sécurise les personnes, permet de partager l'entretien et les coûts d'occupation et protège le patrimoine familial.

4. Le logement conventionnel : l'avantage d'être en logement est que vous n'avez pas le fardeau de l'entretien, le prix du loyer est souvent plus bas que les taxes et les frais de condo, et il vous est plus facile de déménager que si vous deviez vendre votre maison. Un comptable de ma connaissance a gardé sa maison de campagne comme résidence principale et loue un joli pied-à-terre dans l'est de Montréal pour un très bon prix. La vente de sa maison lui a permis de faire des placements sécuritaires dont il retire les intérêts pour se payer cette solution intéressante.

5. Une résidence originale pour les aînés : enfin, vous pourriez opter pour cette résidence originale proposée sur Internet par un auteur inconnu (une personne âgée a envoyé cette lettre au régime des pensions gouvernementales) :

« *Mesdames, messieurs,*

« *Permettez que je vous informe du petit calcul suivant qui, selon moi, ferait économiser beaucoup d'argent au gouvernement. Oublions les maisons de repos, elles coûtent trop cher. Envoyez plutôt les personnes âgées en croisière.*

« *Comparons par exemple le bateau* Princess of Cruise *à une maison de repos bien ordinaire. Le coût moyen pour une maison de repos est de 200 $ par jour. La compagnie* Princess, *lorsque l'on réserve pour une longue durée et avec le rabais pour les personnes âgées, offre un prix de 135 $ par jour. Cela laisserait 65 $ par jour pour les pourboires, qui sont pourtant de 10 $ par jour seulement.*

« *Par ailleurs, vous pourriez avoir jusqu'à 10 repas par jour si vous parveniez à vous dandiner vers le restaurant, ou encore faire appel au service aux chambres, ce qui veut dire que vous pourriez profiter d'un déjeuner au lit chaque jour de la semaine.*

« *Les bateaux* Princess *ont jusqu'à trois piscines, une salle d'exercice, des laveuses et sécheuses sans frais et des spectacles à tous les soirs. Ils ont des brosses à dents, du savon, du shampoing et des rasoirs gratuits. Vous y seriez traité comme un client et non comme un patient, et pour 5 $ de pourboire en extra, tous les employés s'empresseraient de vous aider. Vous pourriez y rencontrer de nouvelles personnes à tous les 7 ou 14 jours. La télé est brisée ? Besoin de changer une ampoule ? Pas de problème ! Les employés réparent tout et s'excusent même de vous déranger. Ils vous apportent des draps et des serviettes propres à chaque jour, sans même qu'on ait à le demander.*

« *Si vous chutez dans une maison de repos et que vous vous cassez la hanche, vous serez sur l'assurance-maladie. Si le même accident survient sur un bateau* Princess*, ils vous surclasseront dans une suite pour le restant de vos jours.*

« *Et puis, attendez, le meilleur est à venir ! Voulez-vous voir l'Amérique du Sud, le canal de Panama, Tahiti, l'Australie, la Nouvelle-Zélande, l'Asie ?* Princess *a un bateau prêt à partir.*

« *Ne me cherchez pas dans une maison de repos, appelez le bateau.*

« *P.-S. : Et puis, n'oubliez pas, si vous mourez, ils vous jetteront par-dessus bord sans frais.* »

Comme on l'a vu au cours de ce chapitre, il faut commencer à planifier sa retraite et à épargner dès notre jeune âge si nous voulons bénéficier d'une retraite sans aucun souci financier. L'insécurité créant déjà beaucoup d'anxiété chez les aînés, essayons de nous organiser pour au moins diminuer le stress de savoir si on aura assez d'argent pour faire ce qui nous plaît. Les informations et les conseils rapportés dans ce chapitre peuvent sûrement vous aider à mieux planifier votre vie future et aussi à mieux vous tirer d'affaire si vous êtes déjà retraité.

En terminant, je vous suggère sept erreurs à éviter, telles que proposées par le journal *Les Affaires* du 27 août 2011:

1. Croire que les choses se passeront comme vous le prévoyez; même ceux qui sont bien préparés à la retraite doivent tenir compte des imprévus.

2. Faire fi de l'inflation; faites toujours vos prévisions en tenant compte de celle-ci. Avec une inflation moyenne de 3 %, dans quelques années, tout vous coûtera plus cher.

3. Penser que vos responsabilités diminueront avec le temps; par exemple, qui vous dit que vous ne devrez pas soutenir financièrement vos enfants? Vingt-deux pour cent des retraités le font actuellement.

4. Supposer que vous dépenserez moins; voyager, gâter les enfants et les petits-enfants, réaliser de vieux rêves peut coûter bien cher. Habitués à s'offrir ce qu'ils veulent, les *baby-boomers,* dont la première cohorte des 65 ans est arrivée en 2011, ne changeront pas de comportement du jour au lendemain.

5. Imaginer que la retraite, c'est pour toujours; un sondage de la Banque Royale, effectué au printemps 2011, indique que 20 % des retraités reviennent sur le marché du travail. Parmi ceux-ci, près de la moitié le font pour des raisons financières, une hausse de 32 % par rapport à l'année précédente. De plus, 52 % des *baby-boomers* estiment que travailler les gardent jeunes.

6. Faire des projections de revenus irréalistes; il n'y a rien comme un bon spécialiste de la planification financière pour y voir clair. Une étude démontre que ceux qui ont un conseiller financier et un plan d'action sont moins craintifs face à la retraite. Si les gens avaient fait affaire avec des gens référés par leur banque, il y aurait eu moins de personnes flouées par des Lacroix de tout acabit.

7. Adopter une stratégie de placement trop conservatrice. Les épargnants, surtout les plus jeunes, devraient apprendre à vivre avec une certaine fluctuation des marchés et un risque modéré, voire quasi calculé.

Conclusion

Vous arrivez maintenant à la fin de ce livre. J'espère vous avoir démontré que la retraite telle qu'on l'envisage traditionnellement est un concept dépassé. Pourquoi ? Parce que la vie est un *work in progress,* une expérience continuelle, et, dans cette partie du voyage, vous vous dirigerez vers de nouveaux défis. Vous travaillerez pour maintenir votre santé et votre bien-être, pour demeurer en contact avec votre communauté et, le plus important, pour rester visible et valorisé.

Si vous n'êtes pas encore à la retraite, posez-vous quatre questions :

1. À quel âge voulez-vous prendre votre retraite ? La pension du Régime des rentes du Québec n'est offerte qu'à partir de 60 ans et la Sécurité de la vieillesse du fédéral n'entre en vigueur qu'à 65 ans. Le fait de prendre sa retraite à 55 ou à 65 ans entraîne une différence importante en dollars.

2. De quel revenu aurez-vous besoin pour vivre et/ou pour réaliser vos rêves ? Il est important de déterminer rapidement votre besoin d'épargne afin d'être en mesure de maintenir votre niveau de vie à la retraite.

3. Avez-vous un portrait clair de votre situation financière future afin de savoir sur quelles sources de revenu vous pourrez compter ? Il vous faut calculer combien vous rapporteront votre fonds de pension, votre REER, votre régime fédéral et provincial, etc.

4. Combien devez-vous épargner aujourd'hui pour demain ?

Une fois que vous aurez répondu à ces questions, il est fort possible que vous décidiez de travailler plus longtemps que prévu, et ce, pour les raisons suivantes :

- vos épargnes et vos pensions seront insuffisantes pour vous assurer un bon niveau de vie à la retraite ;

- le choc de la crise financière a affecté le rendement de vos épargnes ;

- des incertitudes pèsent sur l'économie ;

- la crainte que les services publics ne puissent plus subvenir à vos besoins se concrétise ;

- le prolongement de l'espérance de vie vous incite à effectuer des épargnes plus importantes ;

- le désengagement social auquel vous pourriez faire face vous effraie.

Dans bien des cas, à l'approche de la retraite, l'impasse financière aurait pu être évitée si les gens avaient épargné davantage et plus tôt dans leur vie, élaboré une meilleure planification financière et une meilleure préparation psychologique à la nouvelle vie de retraité. Il est encore temps de modifier vos habitudes !

Si vous êtes déjà à la retraite, répondez plutôt aux quatre questions suivantes :

1. Votre nouvelle vie sociale est-elle satisfaisante ?

2. Le maintien de votre niveau de vie vous inquiète-t-il ?

3. Avez-vous sécurisé votre situation financière à long terme ?

4. Avez-vous l'impression d'être sur une voie d'évitement plutôt que dans une nouvelle étape de votre vie ?

Si vous répondez positivement aux questions deux et quatre et négativement aux questions un et trois, vous devez vous remettre au travail et prolonger votre carrière ou votre métier plutôt que de dépérir dans votre situation. Peut-être est-il temps de faire un virage et de vous lancer en affaires, de devenir un consultant ou d'abattre du travail à domicile grâce aux technologies de l'information et à une organisation du travail qui permet d'accommoder les retraites progressives. Donc, n'hésitez pas à reprendre du service même si c'est un emploi saisonnier. Si vous êtes un *snowbird*, transformez un passe-temps en source de revenus. De nos jours, plusieurs retraités se départissent d'activités qui leur pèsent, réaménagent leur horaire et travaillent moins d'heures et moins de jours.

Enfin, il faut que la société s'adapte à ces changements en transformant nos attitudes à l'égard de la retraite. Il faut arrêter de voir cette étape de la vie comme une fin automatique et définie à l'avance à 65 ans. Il faut se faire à l'idée que la retraite est un processus dont le rythme et l'intensité dépendent des choix de chaque personne.

Il faut combattre la tentation de l'âgisme et valoriser la présence de travailleurs plus expérimentés. Les employeurs doivent aussi s'adapter à la retraite progressive, la faciliter et soutenir ceux et celles qui font ce choix. De son côté, chaque individu gagnerait à repenser la façon dont il planifie sa retraite et à tenir compte du fait que de plus en plus de gens seront à la fois des travailleurs et des retraités.

Enfin, comme on l'a vu, les aspects émotionnels et sociaux sont tout aussi importants que les aspects financiers lors de la planification de la retraite. Pensez à la manière dont vous garderez votre corps et votre esprit actifs, resterez présent au sein de votre communauté et conserverez le sentiment d'être encore aussi utile que vous l'étiez dans le monde du travail.

C'est ce que je vous souhaite de tout cœur.
LIVE, LOVE, LAUGH.

Références

AGENCE QMI. «Démodée, la retraite?», *Le Journal de Montréal*, 7 juin 2011.

ASSOCIATION COOPÉRATIVE D'ÉCONOMIE FAMILIALE (ACEF) DES BASSES-LAURENTIDES. «La retraite: mes droits, mes finances», 2011, 55 p.

AUTORITÉ DES MARCHÉS FINANCIERS. «L'inflation et l'espérance de vie: une combinaison dangereuse pour votre retraite?» Groupement pour la promotion de la sécurité financière, 2009, 16 p.

BACHAND, N., A. BOIVIN, J. BLONDIN, ET D. PRESTON. *Tomber à la retraite: une planification complète*, Les Éditions Logiques, 2010, 334 p.

BÉLIVEAU, R., D. GINGRAS. *La santé par le plaisir de bien manger*, Éditions Trécarré, 2009, 264 p.

BERNATCHEZ, F. *1001 activités pour profiter de sa retraite*, Bertrand Dumont Éditeur, 2010, 483 p.

BÉRUBÉ, G. «Les régimes de retraite sont plus mal en point qu'il n'y paraît», *Le Devoir*, C8, 29 avril 2012.

BLANCHETTE, J. «La retraite? Plutôt crever», *ledevoir.com*, 20 juin 2011.

BOGAN, D. ET K. DAVIES. *Avoid Retirement and Stay Alive*, McGraw-Hill, 2008, 283 p.

BROUSSEAU-POULIOT, V. « Le Québec, cancre d'une classe surdouée », *La Presse Affaires*, 28 juillet 2011.

BROUSSEAU-POULIOT, V. « Un Québécois sur cinq manquera d'argent à la retraite », *La Presse Affaires*, 25 avril 2012.

BURNETT-NICHOLS, H. « La retraite progressive vous convient-elle ? » *simplementbrillant.ca*, 21 novembre 2011.

CORNACCHIA, C. « 65, But Who's Counting ? » *The Gazette*, 23 juillet 2011.

DESCHÂTELETS, LOUISE. « Le courrier de Louise Deschâtelets » : *J'en ai ma claque de faire toutes les concessions, Le Journal de Montréal*, 4 juillet 2011.

DESCÔTEAUX, D. « Les nuages noirs », *Le Journal de Montréal*, 17 août 2011.

DESROSIERS, E. « La retraite en mode survie », *ledevoir.com*, 20 juin 2011.

DESSAINT, M.-P. *Une retraite heureuse ? Ça dépend de vous*, Flammarion, 2005.

DESSAINT, M.-P. *Quoi faire à la retraite ?* Broquet, 2012, 199 p.

DINEEN, D. « Mon meilleur investissement à ce jour », *simplementbrillant.ca*, 20 mars 2012.

DUBUC, A. « Report de la retraite : une petite révolution », *simplementbrillant.ca*, 2 mars 2012.

FOOT, D. K. *Boom, Bust and Echo 2000*, Stoddart Publishing Co, 2000, 313 p.

GAGNÉ, H. *Votre retraite crie au secours*, Les Éditions Transcontinental, Montréal, 2009, 172 p.

GAZAILLE, J.F. «Votre bas de laine est-il assez gros?» *lactualité.com*, 1er mars 2012.

GEORGETTI, K. «Devrions-nous hausser l'âge de la retraite aux fins des pensions publiques et privées?» Congrès du travail du Canada, 6 janvier 2011, 2 p.

GOUPIL ET TYBO. *Le guide de la retraite*, Vents d'Ouest, 2011, 48 p.

HADLER, N. M. *Le dernier des bien portants: comment mettre son bien-être à l'abri des services de santé*, Les Presses de l'Université Laval, 2008, 333 p.

IZZO, J. *The 5 secrets you must discover before you die*, Berrett-Koeler Publishers Inc, 2008.

JEFFREY, J. «L'endettement à la retraite», *Le Journal de Montréal/ Votre argent*, 1er octobre 2011.

JOLICOEUR, M. «Retraite: partir ou pas?» *Les Affaires*, 27 août 2011.

JOLICOEUR, M. «Sept erreurs courantes à éviter», *Les Affaires*, 27 août 2011.

LAMONTAGNE, Y. *Techniques de relaxation*, France-Amérique, 1982, 139 p.

LAMONTAGNE, Y. *La mi-carrière: problèmes et solutions*, Guy Saint-Jean éditeur, 2000, 120 p.

LAMONTAGNE, Y. *Comment devenir un VIP*, Québec Amérique, 2009, 146 p.

LAMONTAGNE, Y. «La philanthropie: un devoir de société», Conférence présentée au colloque de l'Association des professionnels en gestion philanthropique, Montréal, 27 mai 2002.

LE COURS, R. «Concilier retraite et espérance de vie est de plus en plus difficile», *La Presse Affaires*, 28 septembre 2011.

Le Cours, R. «Les régimes à prestations cibles gagnent des appuis», *La Presse Affaires*, 13 juin 2012.

Leduc, L. «Les départs à la retraite pourraient aider les ministères», *La Presse*, 19 juillet 2011.

Letarte, M. «Les hommes âgés se mettent à faire les repas», *Le Devoir*, 18 septembre 2011.

Lord, S. «Régime de retraite : renflouer coûtera cher», *Le Journal de Montréal*, 6 juillet 2012.

Major, F. «Caisses de retraite : ça va sauter», *Le Journal de Montréal*, 23 juin 2012.

Malboeuf, M.-C. «L'amertume mènerait à des ennuis de santé», *La Presse Actualités*, 28 juillet 2011.

Marks, J. M. *Vivre avec son anxiété*, traduit et adapté par Yves Lamontagne, Le Jour Éditeur, 1989, 169 p.

Marowits, R. «La Banque Royale adopte un nouveau régime de retraite», *Le Devoir*, 24 septembre 2011.

O'Connor, K., Langlois, R. et Lamontagne, Y. *Comment arrêter de fumer pour de bon*, Les éditions de l'Homme, 1990, 104 p.

Question Retraite. Guide de la planification financière de la retraite, édition 2006-2007.

Régime des rentes du Québec. «Le revenu des personnes retraitées au Québec», mars 2006.

Rodgers, C. «Un tiers des travailleurs songent à quitter leur emploi», *La Presse*, 20 juillet 2011.

Samet, G. «Le programme de sécurité de la vieillesse inquiète», *Le Journal de Montréal*, 13 juillet 2012.

Samson, J. J. «Une bombe sociale», *Le Journal de Montréal*, 21 juin 2011.

Saunier, D. *Séniors, l'âge d'être ; la vie devant vous*, Dangles Éditions, 2006, 391 p.

Shepherd, R. «Exercise and Aging», *Geriatrics Magazine*, mai 2002.

Statistique Canada. «Aspects sociaux et économiques du vieillissement», *Le Quotidien*, 13 décembre 2004.

Statistique Canada. «L'emploi et le revenu en perspective», septembre 2005.

Statistique Canada. «Le travail après la retraite», *Le Quotidien*, 23 septembre 2005.

Statistique Canada. «Un portrait des aînés», *Le Quotidien*, 27 février 2007.

Statistique Canada. «Portrait de la population canadienne en 2006 selon l'âge et le sexe», 17 juillet 2007.

Statistique Canada. «La participation des travailleurs âgés», *Le Quotidien*, 24 août 2007.

Statistique Canada. «Estimation de la population du Canada», *Le Quotidien*, 27 novembre 2007.

Statistique Canada. «L'activité des personnes âgées sur le marché du travail», *Le Quotidien*, 21 juillet 2010.

Statistique Canada. «Facteurs favorables à la santé et bon état de santé chez les Canadiens du milieu à la fin de la vie», *Le Quotidien*, 21 juillet 2010.

Statistique Canada. «La retraite, la santé, l'emploi chez les Canadiens Âgés», *Le Quotidien*, 31 janvier 2011.

Tison, M. «Les Canadiens n'épargnent pas assez pour la retraite», *La Presse Affaires*, 8 septembre 2011.

Tison, M. «Petite histoire de l'épargne de retraite», *La Presse*, 27 octobre 2011.

TURENNE, M. «Pas un marché pour les vieux», *Le Journal de Montréal*, 24 juin 2012.

ZELINSKI, E.J. *Vive la retraite*, Éditions internationales Alain Stanké, 2005, 295 p.